Дина Рубина

ОКНА

Дина Рубина

ОКНА

Живопись Бориса Карафёлова

Москва
2012

УДК 82-3
ББК 84(2Рос-Рус)6-4
Р 82

Дизайн переплета *Б. Карафёлова*

Рубина Д.

Р 82   Окна : роман / Дина Рубина. — М. : Эксмо, 2012. — 276 с. : ил. — (Большая литература. Дина Рубина).

ISBN 978-5-699-55397-6

«...Что-то осталось во мне после того побега из пионерлагеря, после той длинной ночной дороги домой; я думаю — бесстрашие воли и смирение перед безнадежностью человеческого пути. Что увидала я – ребенок — в том неохватном, том сверкающем окне вселенной, о чем догадалась навек?

Что человек одинок?

Что он несчастен всегда, даже если очень счастлив в данную минуту?

Что для побега он способен открыть любое окно, кроме главного — недостижимого окна-просвета в другие миры?..»

Дина Рубина

УДК 82-3
ББК 84(2Рос-Рус)6-4

ISBN 978-5-699-55397-6

В горах Галилеи. *2005*

* * *

Мы перевозили картины Бориса в его новую мастерскую — ту, что отстроили на втором этаже, вырастив комнату из балкона. Пространство получилось небольшим, но из-за двух высоких окон — в стене и в потолке — удивительно радостным и *вкусным* для глаз: прямо-таки перенасыщенным взбитыми сливками густого света.

Вертикальное окно вверху, журавлем взмывая к гребню крыши, отбрасывало на пол косой прямоугольник солнца. И в этом лучезарном окне, посреди белой комнаты, стоял мольберт.

Борис внес первую связку холстов, ослабил узел на веревке, и одна картина стала медленно выпадать углом. Я ее подхватила и поставила на мольберт.

Это был портрет нашей дочери, сидящей на широком подоконнике в чудесном доме в Галилее, где когда-то мы любили отдыхать.

И тут, в пустой комнате, в молочно-белом облаке верхнего света, он вновь со мной «заговорил» с мольберта. Я сказала:

— Ева на окне, под окном, среди окон.

Мой муж, распутывая узлы, оглянулся на портрет и сказал:

— Да у меня чуть не в каждой картине — окно…

И мы продолжали вносить в дом и втаскивать на второй этаж связки картин, привезенных из старой мастерской, — утомительное, но и радостное занятие, как всегда, когда затеваешь и воплощаешь что-то новое: новую комнату, новую картину или новую книгу.

И пока Борис развязывал и расставлял вдоль стен и на стеллажах работы, я смотрела на них новыми удивленными глазами: а ведь и правда — сколько их у него, этих картин, где в разных окнах сидят, стоят, выглядывают или проходят мимо разные люди. Да и сами картины были окнами, откуда глядели в мир множество персонажей, в том числе и сам художник, и мы, его домашние.

Длинная анфилада оконных отражений…

Я сказала, ни с того ни с сего:

— А у нас во дворе, в Ташкенте, первый телевизор появился у дяди Саркиса. Вечерами соседи набивались к нему на торжественные сеансы, усаживались кто куда, и все глядели в крошечный экран. Линза была толстой, изображение кошмарным… Но лица зрителей сияли уважительным восхищением: ведь это чудо — в ящике, прямо в комнате, непонятно откуда возникает «настоящее кино»… Дядя Саркис отхлебывал из пиалы чай и произносил: «А-акно в мир!» — с таким достоинством, будто лично изобрел телевидение. А нам, детям, позволялось смотреть с улицы. Мы взбирались на подоконник открытого окна, сидели друг у друга на коленях, на закорках… и с этого окна смотрели внутрь комнаты, в другое окно — подслеповатое окошко экрана. В этом что-то есть, а?

Часа полтора еще мы до изнеможения носили и расставляли картины, а я теперь уже намеренно выискивала в них все новые и новые окна. Постепенно меня охватывало знакомое волнение, еще неявное — то, что всегда предшествует *идее*…

Когда все было закончено, мы спустились вниз, заварили чаек и, как два грузчика на обеденном перерыве, некоторое время энергично молча жевали бутерброды, с удовлетворением поглядывая в сторону лестницы на второй этаж.

Вдруг Борис заметил:

— Между прочим, знаешь ли ты, что еще совсем недавно, в XVIII веке, жители Корнуолла промышляли таким вот способом: в особо сильный шторм выносили на берег большие фонари и расставляли рядами там, где громоздились самые страшные скалы.

— Зачем?

— Ну, как же… Несчастные моряки принимали свет фонарей за окна домов и в надежде найти гавань направляли корабли к этим обманкам…

— И разбивались на скалах?! — воскликнула я.

— Само собой. А когда шторм стихал, на берег выносило много полезных предметов. Вообще, в образе окна, — продолжал он задумчиво, — есть что-то трагическое. Вспомни, в литературе оно почти всегда связано с ожиданием, и часто — бесплодным. Ведь окно — это… нечто большее, чем привычное отверстие для света и воздуха или для бега нашего зрения вдаль… А в нашем ремесле окно — вообще большое подспорье. Мне, например, с моим вечным ощущением чужеватости и прохожести, образ окна в работе очень помогает. Делает меня… свободнее, что ли… Окно как примета укрытия, опознавательный знак. Не конкретное окно, а такая вот рама, из которой и в которую направлен взгляд. Хоть какой-то ориентир для человека, *проходящего мимо*…

Прошло несколько дней, и — видимо, чем-то меня задел, растревожил этот разговор, — я все продолжала думать о нем, а внутреннее волнение продолжало свою животворящую суету. Все катилось в нужном направлении… А может быть, думала я, мы все до известной степени — *проходящие мимо?*

И стала вспоминать свои окна. Множество своих окон, среди которых, чего уж греха таить, встречались и такие вот окна-обманки, и на их свет плыли иные корабли и — разбивались, и за это мне отомстится в положенное время или уже отомстилось…

В сущности, думала я, тема окон в искусстве не нова, но, как говорится, всегда в продаже. Окно — самая поэтичная метафора нашего стремления в мир, соблазн овладения этим миром и в то же время — возможность побега из него. Однако это и символ невозможности выхода вовне, последний свет, куда — с подушки — обращены глаза умирающего, не говоря уже о том, что для узника окно — недостижимый мираж свободы, невыносимая мука…

А наша память! Сколько в ней запретных судьбинных окон, к которым и на цыпочках боишься подобраться, не то что занавеску отдернуть да, не дай бог, увидеть сцену расставания тридцатилетней давности или того хуже — человека, лицо которого тщетно надеешься забыть… А у меня вообще: ни одной двери, только окна. И половина заколочена. Кто бы ни просил — не открою. Не хочу выпускать на свет божий то, что давно похоронено.

Зато остальные окна — всегда распахнуты. Я то влечу в них, то вылечу. И уж в этих окнах всё: мои мечты, мои страхи, моя семья, мои книги; все мои герои — уже рожденные и те, кому только предстоит родиться. Даже не знаю, где я провожу больше времени: размышляя за компьютером или мечтая в каком-то своем окошке…

* * *

Многие люди моей жизни связаны у меня с тем или иным окном. Знакомые иностранцы часто вспоминаются за окном кафе, куда я приходила к ним на встречу. Отец — у окна мастерской, всегда завешенного темной драпировкой, для дозирования яркого дневного света. Помню огромные бледные окна изостудии во дворце пионеров на Миусской, где впервые увидела Бориса и его многослойные многоцветные странные холсты. В тот вечер он показывал картины из серии «Иерусалимка», смешно рассказывая про свой дом во дворе старой Винницы — полуразваленный домишко, вросший в землю по самое окно, через которое можно было запросто шагнуть в комнату, не слишком высоко подняв ногу…

С тех пор прошло сто лет, и многие наши общие окна перекочевали в картины: окна квартир, ресторанов, отелей; стрельчатые окошки французских и немецких замков; двойные, разделенные колонной красноватого мрамора, аркады флорентийских палаццо; синие — против сглаза — ставни окон на улочках древнего Цфата; мавританские полосатые арки над окнами средневековой Кордовы и узкие, истекающие струйкой света бойницы башни Хиральда в Севилье: поднимаешься в ней, и сквозь невероятную толщину стен видишь фрагменты белого города в черных проемах…

А еще — зарешеченные окна Армянского квартала в Иерусалиме; огромные и глубокие окна-сцены Амстердама и закрытые ставнями, таинственно непроницаемые окна-тайны Венеции.

Не говоря уже о распахнутых в нашу память окнах Москвы, Винницы, Ташкента…

Некоторые, с приметами местной жизни или одушевленные чьим-то лицом, фигурой, домашним животным, вспоминаются время от времени пронзительно ясно, с какой-то неуместной и необъяснимой грустью — как то окно в одном из домов Амстердама, где старуха в инвалидном кресле, перегнувшись через подоконник, крошила булку на тротуар, а внизу с восхитительным непринужденным достоинством разгуливала цапля.

Или то высокое окно кондитерской в Дельфте, где между двумя синими вазами, среди белых орхидей на подоконнике сидела кошка-альбинос, тишайшая, ласковая; приподнималась и деликатно трогала лапкой стекло, словно внимания просила: а вот что сейчас скажу. Ну, скажи, ангел мой, скажи…

Или — отраженные в воде окна плавучего ресторана на озере Орта: как они сверкали и текли под фонарями, вновь и вновь разбиваемые вдребезги мелкой волной…

А витражи — эти чудесные картины в стрельчатых окнах церквей и соборов, картины-сказки, картины-утешения, будто для человеческого глаза недостаточно божественного света сквозь прозрачное стекло! И — как антипод этому ликованию многоцветья — черные проемы не застекленных окон арабских деревень, годами отпугивающие тех, кто смотрит на них с дороги.

А окна, нарисованные на стенах, — окна-иллюзии, с горшочками герани, с женским профилем, выглядывающим из-за шторы, — имитация интерьера, плоская подделка жизни…

А прожорливо ненасытные окна поездов дальнего следования, окна-Гаргантюа, глотающие на страшной скорости неохватные пространства…

И наконец, одна из самых величественных и страшных картин, какие могут только присниться: гигантский, космических размеров кратер медного карьера в штате Юта! Мы стояли наверху, на специальной площадке для туристов, а внизу по неохватным багровым адовым кругам едва заметными муравьями, сползая все ниже и ниже, будто выгрызая окно в самой груди земли (вот-вот хлынет оттуда сокрушительным потоком небесная синь с той стороны планеты!) — ползли многотонные самосвалы за новой порцией медной руды…

…Так наполнялся ручей замысла этой книги; весной в Иудейской пустыне так набухает влагой почва, и за одну ночь — неизвестно, как и откуда, — земля выплескивает брызги алеющих маков.

В один из этих дней друзья пригласили меня на концерт в Иерусалиме, — последний концерт ежегодного филармонического абонемента. В программе — Брамс, Брукнер, Дебюсси.

— Вот только места дешевые, — смущенно сказал наш друг. — Знаете, на втором ярусе, те, что прямо над сценой…

Но это-то как раз и оказалось самым прекрасным: впервые в жизни я видела перед собой лицо дирижера, профили оркестрантов, шопитры с раскрытыми нотами; буквально сидела в музыке по самую макушку…

Подо мной плавно покачивалась библейская волна вишневой арфы на полном плече роскошной арфистки. Один из контрабасистов, похожий на персонажа с гравюры Домье, склонялся к инструменту так предупредительно и даже угодливо, словно прислуживал ему за столом: чего изволите? Другой, щипая струну, мерно качал головой в такт движению руки — как мул, что поднимается по крутой тропинке в гору.

А дирижер… тот дирижировал ртом: округлял губы на *крещендо*, издавал беззвучный вопль на *фортиссимо*, растягивал их в мучительной гримасе блаженства на *диминуэндо*, захлопывал рот на резком коротком аккорде…

И при этом пружинисто приплясывал на подиуме, как царь Давид перед Господом, отпихивая локтями кого-то невидимого, кто так и норовил подобраться с изощренно злодейскими, захватническими намерениями…

Я парила над сценой и чуть не расплавилась от счастья — потому что внизу, на пюпитрах, двойными окошками в мою прошлую жизнь белели раскрытые листы оркестровых партий, полные грачиным граем нот…

Вот тогда она и явилась — в терциях мучительного пассажа, в образе птичьих переливов флейты — идея этой книги об окнах, *об окнах вообще* — тех, что прорублены для света и воздуха, но и для взгляда, бегущего вдаль; об окнах, сыгравших важную роль в чьих-то судьбах; и об окнах, которые нельзя не упомянуть *просто так*, для полного антуража истории…

Словом, пока звучала кода брукнеровской симфонии, я уже знала, что буду писать свою новую книгу, не экономя на внимании вечно занятого читателя, забыв о нем, о читателе, вообще, отпустив вожжи, расправив лицо и душу, неторопливо листая, и вспоминая, и вышибая разбухший штырек из рассохшейся рамы, распахивая давно забитые ставни…

Чтоб в этой книге были и картины Бориса, их окна-ориентиры, окна-укрытия *в высокой башне памяти*: все эти затененные стекла, эти дребезги, блики-отражения в мозаике многослойных мазков. Наши лица *прохожих людей* в темном окне московского метро или питерского трамвая; и сквозь них — тусклые солнца ночных фонарей, торопливые прохожие, мокрое белье на веревках, блеск листьев после дождя.

Птица над озером. *2008*

Дорога домой

Лет в восемь или девять я сбежала из пионерского лагеря, первого и последнего в моей жизни. Подробностей не помню; кажется, он был обкомовским, этот лагерь, и находился в предгорьях Чимгана, километрах в двадцати от города, где-то в районе Газалкента.

Меня туда пристроила по блату мамина подруга, и, усаживая меня в автобус, мама оживленно твердила, что на завтрак там дают икру и сервелат — это было основным доводом в пользу моего удаления из дома. Я же не понимала, кому и чем так помешала моя вольная беготня по окрестным улицам и дворам, чтобы запихивать меня в автобус с целой оравой горластых обормотов и так далеко увозить: растерянность кошки, выглядывающей из неплотно застегнутой сумки.

И недоумение: что мне этот сервелат? А скользкая соленая икра, медленно и жутко шевелящаяся, тогда просто внушала отвращение.

В лагере помню только утренние пионерские линейки и резь в глазах от хлорки, густо посыпаемой в чудовищном казарменном туалете с дырками в полу. Сейчас пытаюсь припомнить какие-нибудь издевательства или серьезную обиду, из чего бы состряпать убедительный эпизод, оправдывающий мой дикий поступок… Нет. Ничуть не бывало! Человеку, для которого главное несчастье — место в пионерском строю и общая спальня, незачем придумывать иные ужасы. Видимо, я просто не была создана для счастливого детства под звуки горна. Впрочем, я всегда игнорировала счастье.

Сбежала я на четвертый день, дождавшись отбоя. В темноте не удалось нащупать под кроватью сандалии, поэтому, бесшумно выбравшись через открытое окно на веранду, я отправилась восвояси босиком. Это было не страшно: кожа на ступнях за лето становилась задубело-нечувствительной.

Пролезши через дырку в заборе и по остановке автобуса вычислив направление на Ташкент, я побежала по еще теплой от дневного жара асфальтовой дороге, сначала бодро и возбужденно (мне все чудилась погоня, так что, заслышав стрекот далекой машины, я сбегала с дороги и пряталась в кустах, а если их поблизости не было, просто падала лицом и животом в высокую придорожную траву, сильно пахнущую шалфеем и полынью), потом шла все медленней, затем, под утро, уже устало плелась...

Я шла, чувствуя направление внутренним вектором, как та же кошка, завезенная черт знает в какую даль...

Чем глубже в топкую вязкую ночь погружалось окрестное предгорье, тем выше и прозрачнее становилось небо над головой. Великолепная россыпь ярко мигающих тревожных звезд — игольчатый иней на гигантском стекле — пульсировала в невыразимой, несказанной вышине. Там шла бесконечная деятельная жизнь: неподвижными белыми прожекторами жарили крупные звезды; медленно ворочались, перемещаясь, маяки поменьше; суетливо мигали и вспыхивали бисерные пригоршни мелких огней, среди которых носились облачка жемчужной звездной пыли. Все жило, все плыло и шевелилось, боролось, заикалось, требовало, вздымалось и опадало в той ужасающей, седой от звезд, бездне вверху... Там шла какая-то непрерывная контрольная по геометрии: выстраивались фигуры — окружности, углы и трапеции, а прямо в центре неба образовался квадрат — окно, довольно четко обозначенное алмазным пунктиром, и сколько бы я ни шла, то убыстряя, то замедляя шаг, это окно плыло и плыло надо мной, и мне казалось, что внутри своих границ оно содержит звезды более яркие, более устрашающие и одушевленные, и что наверняка где-то там, в другой вселенной, тоже идет по дороге одинокая и упрямая девочка, и над ней тоже плывет призывное это окно... Я придумала себе, что там вот-вот что-то произойдет, мне что-то покажут в этом космическом окне, поэтому то и дело останавливалась, задирала голову и пристально следила за знаками, каждый раз обнаруживая удивительные события: новые вспышки завихрений, новые сообщества беспокойно мигающих звезд... Иногда я принималась энергично махать руками, подавая знаки той, другой девочке: а вдруг у них такая развитая цивилизация, что она меня видит в какой-нибудь космический телескоп?

Зимнее море. *2009*

Раза два-три за всю ночь темная дорога вливалась в какие-то населенные пункты, скудно освещенные десятком глухих фонарей. Каплями густого меда вдали теплились окна кишлаков, тянуло горчайшим дымом горящего кизяка, и разной высоты голосами перебрехивались псы, отвечая на дрожащий крик осла...

Я шла всю ночь; на рассвете добрела до трамвайного круга на окраине города, дождалась первого пустого трамвая и бесплатно (кондукторша очень испугалась, увидев меня) доехала до дома.

Впоследствии никто из знакомых, и родители тоже, не верили, что я прошла весь этот путь ногами.

— Тебя подвезли? — допрашивали меня. — На машине? На повозке? На велосипеде? Ведь ты не могла проделать босиком весь этот путь, одна, да еще ночью...

Именно одной и ночью, молча возражала я, только одной и ночью можно было проделать этот долгий одинокий путь среди бушующих запахов предгорья, под бесконечным и бесчисленным воинством планет, комет и астероидов, что так страшно и глубоко дышали и сражались в небесном окне над моей головой...

Эта дорога домой под лохматым от звезд горным небом, запахи чабреца, лаванды и горчащий дым кизяка от кишлаков, дрожащий, страдающий крик осла на рассвете — все это, при желании возбуждаемое в моей памяти и носовых пазухах в одно мгновение, останется со мною до последнего часа.

Именно в ту ночь я стала взрослой — так мне кажется сейчас. Мне кажется, в ту ночь возвращения домой под невыразимо ужасным и невыразимо величественным небом я поняла несколько важных вещей.

Что человек одинок.

Что он несчастен всегда, даже если очень счастлив в данную минуту.

Что для побега он способен открыть любое окно, кроме главного — недостижимого окна-просвета в другие миры...

Отчетливо помню лицо отца, который открыл мне дверь часов в шесть утра. За ним с воплем выбежала мама в ночной рубашке: не ждали...

Почему-то меня не отлупили. Выяснять сейчас у мамы причины этого считаю бестактным, да она и сама вряд ли помнит. Но подозреваю, что отец мне втайне сочувствовал: он и сам господин не из компанейских. Мама же причитала, ужасалась, сокрушалась. Дело, конечно, не в сервелате, и не в «горном воздухе для здоровья», а просто — это ж уму непостижимо: да любому бы ребенку… да другой мечтал бы о таком счастье… и вообще, полюбуйтесь на это чудо — разве это нормальная девочка?

Я молча прошла в узкую, как пенал, «детскую», где спали мы с сестрой, и легла на свой диван с одним валиком в головах; другой я давно отбрыкнула удлинившимися за год ногами.

Мимо меня плыли темные поля с рассветными огоньками далеких окон, на пепельном небе замирали и гасли звезды, асфальт под босыми ногами давно остыл. Я шла и шла, и была главной осью вселенной, крошечным колышком, вокруг которого вращались бездонные, беспросветные, раз и навсегда неизменные миры…

Что-то осталось во мне после того побега из пионерлагеря, после той длинной ночной дороги домой; я думаю — бесстрашие воли и смирение перед безнадежностью человеческого пути. Что увидела я — ребенок — в том неохватном, том сверкающем окне вселенной, о чем догадалась навек?

Что человек одинок?

Что он несчастен всегда, даже если очень счастлив в данную минуту?

Что для побега он способен открыть любое окно, кроме главного — недостижимого окна-просвета в другие миры?

Иерусалим, июнь 2011

Ангел в окне. *2010*

Бабка

Она звала меня «мамэлэ» и...

Вновь и вновь ворошу память: что бы еще дополнило благостный образ еврейской бабушки? Боюсь, что ничего. Вот уж благости в моем роду днем с огнем не сыскать; в бабке — тем более.

Правда, на давней сохранившейся карточке выражение лица у нее не то что умиленное или смиренное, скорее... постное. Разве что очи не возведены к небесам. Полагаю, придуривалась.

Снята она восемнадцати лет — длинные косы вдоль длинного платья — на фоне каких-то живописных развалин. Нога в узкой туфельке с медной пряжкой попирает обломок скалы, за спиной — витые колонны, мавританские арки, забранное плющом окошко венецианского замка... Фотограф местечка Золотоноша питал возвышенную страсть к искусству и декорации в своей студии расписывал сам.

Дочери Пинхуса Когановского сняты им на карточки в один летний день начала прошлого века (все пять в легких платьях); и ему потребовалось немало фантазии в рассуждении композиции, дабы расставить их в разных, чрезвычайно изысканных позах. Моя юная бабка извернулась совсем уж неестественным образом: локоть уперт в приподнятое колено, подбородок в ладонь — очень романтично.

Но что поражает меня до сих пор на той устричного цвета картонке — ее нервные руки (узкая кисть, длинные пальцы, безупречно овальная форма ногтей), руки, однажды узнанные мною в портрете Чечилии Галлерани, знаменитой «Даме с горностаем» Леонардо да Винчи, когда я прогуливалась по музею князей Чарторыжских в Кракове.

Между прочим, в семье невнятно поминали некоего художника, что в юности «снял с нее портрэт». (О, эти художники! Всюду, куда ни кинь, — художники в историях моей семьи. Думаю, и на том свете я обречена позировать какому-нибудь тамошнему мазиле.)

Так вот, некий молодой художник был якобы в нее, в мою бабку Рахиль, *влюблен смертельно*. Туманный шлейф незадачливой юношеской любви рассеивается в отсутствии деталей. Художник куда-то делся. «А портрет? где же портрет?» — задаю я маме идиотский вопрос и, спохватившись, умолкаю. Какой там портрет…

Из пяти сестер Когановских Рахиль была самой артистичной. Во-первых, она пела. Во-вторых…

Нет, надо бы не так.

Не удается мне отринуть вечную иронию к собственной родне и сосредоточиться на образе! А образ того стоит: высокая, гибкая, с алебастровой кожей, глаза зеленые, смешливые — бабка всегда привлекала к себе внимание. «На нее оборачивались, — вспоминает мама. — Когда мы появлялись на пляже, головы всех мужчин сворачивало в ее сторону, как флюгера под ветром».

В детстве к этому свидетельству я относилась недоверчиво: разве тогда были пляжи? Где — в местечке Золотоноша? Были-были, отвечают фотографии, письма, а также мерцающие кадры старых кинолент. В фильмах времен бабкиной молодости все купальщики, известно, выглядят уморительно. Я представляла свою бабку в полосатом купальном трико эпохи Чарли Чаплина, приседающей на берегу в энергичной физзарядке — и дико хохотала.

Словом, бабка была неотразима. Во-первых, она пела. Да: пела в застолье. И не просто пела. Она «спивала украиньски песни божественным голосом». Соседи и друзья сбегались послушать, как Рахиль выводит грудным своим контральто заливистые кренделя. Вот это мамино «спивала» в моем детском воображении воплотилось в фольклорную картину: молодая бабка, в украинском кокошнике с лентами, упоенно закинув голову, так что горло трепещет, как у нашей желтенькой канарейки, — *спивает: впивает, пьет* нежные переливчатые песни над праздничным столом: «Ничь яка мисячна, зоряна, ясная… Выдно, хочь голки збырай…»

Ну, и так далее.

И все же не песня была ее коронным номером. Когда наполовину опустошались бутыли и штофы с наливками и свет люстры отражался в потных лысинах и лбах, когда уже пламенели разгоряченные уши, и шмыгали от удовольствия носы, и утирались салфетками усы и бороды, кто-нибудь из гостей обязательно просил:

— Рухэлэ… представь!

В ответ она сооружала изумленно оторопелое лицо.

— Представь, представь! — неслось со всех концов стола. — Хватит придуриваться!

Она разводила руками, пожимала плечами, с недоумением оглядывалась, будто не к ней взывали, а к кому-то за ее спиной.

— Представь!!! — вопили гости.

— Та я шо ж… — начинала мямлить она. — Шо ж… разве ж я…

Далее — из растерянных ухмылок, заикания, бесконечного повторения одних и тех же дурацких фраз — возникал монолог какой-нибудь отсутствующей, не называемой ею соседки, чье имя выкрикивалось дружным хором гостей на второй минуте представления, настолько убийственно точно — интонационно, характерно, тембром голоса и ужимками — передавала бабка образ человека. Язык и текст «номера» соответствовал персонажу. И скороговоркой на «суржике» представала перед гостями какая-нибудь Оксана Петровна Федько, торгующая на рынке дюжину яиц: «Та то ж у вас разве яйца?! Не будет вам от мени комплименту на ваши яйца!» Или Голда Рафаиловна, отставшая от поезда на пересадке в Меджибоже; аптекарша Голда Рафаиловна Ганц, которая в тщетной попытке уберечь пять чемоданов от шныряющей вокруг шпаны перетаскивает свою отключенную задницу с одного на другой, проклиная на идише собственных детей и внуков — мол, те дали ей неправильную телеграмму.

И долго рокотал над столами, повизгивал и кудрявился восторженный смех гостей…

* * *

Я таких застолий не помню. Это были уже другие времена и другие земли: не благодатная довоенная Украина, а знойное столпотворение саманного Ташкента, куда — через Кавказ и Казахстан — моих родных занесло эвакуацией в начале войны и где они застряли навсегда. Но то, как моя бабка Рахиль «представляла» — отлично помню с младенчества. Никаких сказок, никаких стишков из детских книжек — ничего такого, чем обычно пичкают ребенка, заставляя «съесть еще ложечку».

Одни лишь истории сегодняшнего утра.

— Отойди, — говорила она маме, пытавшейся впихнуть хоть немного еды в мой намертво захлопнутый рот. Вытирала руки о фартук и усаживалась на стул, полубоком ко мне, вполоборота к маме. Она и обращалась-то к маме, не ко мне, так что я, с опостылевшей кашей во рту, оставалась брошенной на произвол судьбы безо всякого внимания заинтересованной публики. Меня разом исключали из сюжета, переводя в ранг стороннего слушателя.

— Еду сегодня на Алайский… — начинала бабка неспешно, сосредоточенно размешивая ложкой кашу в моей тарелке, как бы взбивая небольшую волну и сразу ее успокаивая. — Я еще со вчера задумала *гефилтэ щукы*, а щуку, ты ж понимаешь, брать надо с утра, пока в ней глаз не замутился… Ну, в трамвае битком, не продохнуть, но меня-таки усадил какой-то студент. Студенты — вежливые, Рива, ты заметила? Один мне как-то сказал «мадам», может, он уже был профессор?

Никогда не удавалось уловить тот миг, когда ее обыденная речь плавно переходила в говорок рассказчицы. Возможно, она и сама его не замечала.

— Сижу ото так у окна, рядом дама в фасонистой шляпке… Влезают на Первомайской старик и мальчик, небольшой такой паренек, ну, лет, как прикинуть, восемь… Их тоже усадили — против меня; сумку свою старик поставил на пол промеж ног, едем… Вдруг смотрю: сумка-то шевелится! — Ее рука молниеносно зачерпывала ложкой кашу и зависала в воздухе. — И там, в щели… ой, готеню! Ушки-то… ушки такие серые — чик-чик! чик-чик!… — Полная ложка следовала прямиком в мой открытый рот. — Жуй, жуй как следует, мамэлэ, такую кашу не каждому ребенку варят… А ну, думаю, шо ж там такое?.. Какой такой зверек?.. Прикрути огонь под супом, Рива… А ты давай, глотай, сидит, щеки надула…

— В сумке… — мычу я, глотая комкастую массу во рту, — кто?

— Кто… я вот и спрашиваю дядьку вежливо: «Старичок уважаемый, а кто у вас в саквояже ушами шевелить?» Ох, как он осерчал! Сумку к себе придвинул, захлопнул, ногой под сиденье зашоркнул: «Не ваше дело, *эр зугт*, гражданка, чего суетесь в чужой саквояж!»

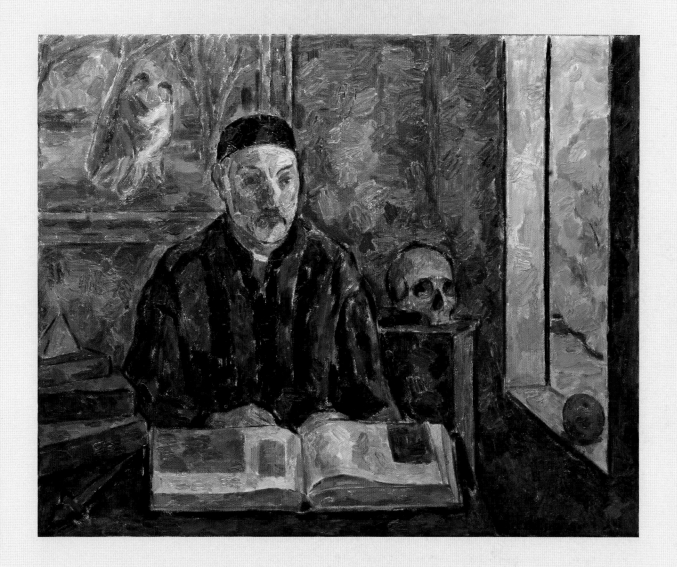

Размышления. *2010*

Каким образом, при помощи каких неуловимых ужимок, гримас и жестов, понижения и повышения тембра голоса и полной его перемены она умела передать сутолоку, дребезжание, скрежет и перебранку пассажиров утреннего трамвая; какой выразительной мимикой воссоздавала образ сварливого старика с волосатыми ушами, какими жалостливыми интонациями умела вызвать сочувствие к притихшему пацану на деревянной лавке трамвая — это я бессильна передать. А вставные словечки на идише расцвечивали рассказ забавной и убедительной инкрустацией, и картина вставала перед глазами в неопровержимой подлинности: не верить этой истории было просто невозможно. Я глотала кашу, ложку за ложкой, только бы не останавливалась бабка, только бы длился ее рассказ!

— Гляжу на мальчика — а он пла-а-ачет. И горько так молча плачет и, видно, боится старика. А соседка… женщина-то в фасонной шляпке, у нее там на полях лежат этак три вишенки, ну прямо живые, бери и ешь! — она тихо мне говорит: «Я думаю, милицию пора звать. Не знаю, *зи зугт*, что там у него в саквояже, а только *оно стонет*!!!» И кричит: «Вожжа-атый! Тормози транвай! Тормози транвай!» Ну… то, сё, скандал, вожатый тормозит, в вагон вбегает мильцанер. Так… последняя ложка… молодец, вот и каше конец.

— Дальше!!! — кричу я возмущенно.

— А что дальше… Мильцанер документы смотрит: все, мол, в порядке, все свободны, свидетелей отпускаю. Это просто, *эр зугт*, старичок с внучеком везут на рынок кроля продавать.

— Нет, ну погоди! — возмущается мама. Она сидит на соседней табуретке, так же, как и я, напряженно слушая бабкин рассказ. — Что это за конец такой, ты что, смеешься! Только растравила ребенка. Как там на самом деле было?..

И умолкает, наткнувшись на бабкин насмешливый взгляд.

* * *

Для меня-то она всегда была старухой.

Ее растрескавшиеся руки помню как самые рабочие из всех, что встречала в жизни. Первое, что я видела и чувствовала, просыпаясь, — эти руки: тяжелые квадратные кисти, грубые пальцы. Она поднимала меня и на теплое со сна тело натягивала лифчик с болтающимися резинками, к которым цеплялись чулки. От прикосновений ее пальцев к материи возникал шорох. Если она нечаянно ужаливала ледяными заусеницами горячее тело с исподу ляжки, я взвизгивала:

— Ай, баба, колючки!

Эти руки, их жесткий холод по утрам (посуду она мыла в миске холодной водой — горячей не было), навеки слиты в памяти с жемчужным окном, с его шершавой, всегда чарующе новой картинкой: сказочные звери в чащобах морозного лесоповала. Значит, зимние каникулы, первый класс…

Моя память так уютно обжила эти недели, зимние и летние, прожитые на Кашгарке, в домике с единственным, но большим окном, лучезарным, как экран в стремительно меркнущем зале кинотеатра. Весной и летом оно было полно сумрачной тополиной листвой, зимой же… Не любой зимой, но редкой холодной, какая выпадала на мое детство раза три, — заиндевевшее окно-театр проявляло все свои летние видения застывшими на стекле: там по морозно-расписному заднику проносились сцены погони, сражений, свадеб и похорон, там медведи ворочали толстые бревна, там бабочки навеки замерли на кустах магнолий, там в густой сети окаменела белая рыбина…

А между хлипкими рамами окна бабка держала продукты — холодильников не было. По утрам она доставала очередной пакет или кулек, придирчиво нюхала, сомневаясь: выбросить или деду отдать… Она считала, что у деда железный желудок.

— Сэндер, — говорила она с заметным одобрением, — о, Сэндер имеет *айзенер бух*!

Айзен — «железо» — было одним из ее любимых словечек. Тупую голову называла *айзенер тухес*, «железной задницей», и часто повторяла, что на еврейские фамилии ушло много железа. И ведь правда: в моем классе учился мальчик Саша Айзен и девочка Лина Айзенберг, а фамилия нашего завуча вообще была устрашающей: Айзенблат — «железная кровь»! Вот среди чего я росла.

…В этих саманных лачугах, слепленных после войны на скорую руку, часто гасло электричество, и если такое случалось вечером, бабка *запаливала* свечу. Вид горящей свечи — первое и самое сильное впечатление от борьбы стихии с хладнокровно прожорливым временем. Лежа на топчане, где мы с бабкой спали валетом (ее ледяные ноги упирались в мое горячее тело, изрядная часть ночи уходила на мои тщетные попытки отодвинуться), я следила за трепетом упрямого огня, не отводя глаз, внедряясь зрением в оранжевую сердцевину тонкого лезвия, и последнее, что видела с подушки, засыпая, — порхающий в черном окне огненный мотылек. Ни разу не удалось мне досмотреть эту битву, в которой всегда погибал огонь. Утром на месте свечи горбилась на блюдце восковая лужа с обугленным фитилем в застывших парафиновых волнах. Это и были первые уроки творчества, первая его заповедь: мир твори огнем, лепи его из обжигающе горячей плоти — поздно менять, когда застынет.

А ведь все это было таким привычным: и холодная вода по утрам, и жужжащий примус на веранде, и лужа застывшего парафина, и кастрюля с прокисшим борщом за окном, и уборная во дворе…

Раз в неделю или чуть реже во двор протискивался грузовик с углем. Немедленно хлопала дверь в крайнем от ворот домике, на крыльцо выбегала Шарапат, третья дочка дяди Хамида, и пронзительно кричала: «Жопер Ванючка! Жопер Ванючка угиль приехала!» Это означало только одно: шофер Ванюшка привез угля.

Печка была веселая, серебристая, казала круглое брюхо, утренний свет струился по ней ручьем, стекал по серебряному брюху сверху донизу, упираясь, как в запруду, в чугунную заслонку, похожую на черный тульский пряник — с выдавленным рогатым оленем. Угля жрала она этим брюхом немеряно.

Бабка вносила со двора ведро угля, высыпала его на жестяной поддон перед заслонкой (драгоценный антрацитовый блеск на острых гранях) и принималась разжигать огонь. Вот что меня завораживало: она укладывала в огонь куски угля голыми руками. Так же, как снимала с огня примуса кастрюлю с вареной картошкой, — просто подняв ее за алюминиевые ушки.

— Ба, ты что! Больно же?

— Та не, — отзывалась, насмешливо щурясь. — Они ж у меня *деревянные…*

Этими руками каждое утро она бинтовала деду культи ног. Длинные бинты змеились по струганым половицам. Сначала разворачивала их, как свиток, потом сворачивала в тугой рулон и затем бинтовала. Почему дед не вскрикивал от прикосновения бабкиных рук — не знаю. Никогда не слышала, чтобы он звал ее как-то иначе, чем «Рухэлэ» — что на русский можно бы перевести как «Рахиленька», если б этот перевод нес в себе хотя бы толику упругой и нежной силы, с какой он произносил ее имя. Дед был человеком вспыльчивым, но даже у меня, ребенка, хватало ума, вернее, чутья, понять, что все ссоры затевала она, бабка. Ее упрямство и желание всегда настоять на своем стало в семье легендарным. (Если и сегодня, спустя пятьдесят лет, я пытаюсь непременно доказать что-то своему отцу, не отступаясь и приводя все новые и новые аргументы, — я нередко заслуживаю его коронной отрывистой фразы: «Уп-пертая поро-да Когановских!»)

Но даже в самых громких скандалах, даже отбрасывая в бешенстве стул к стене, с пеной на губах дед кричал бабке: «Рухэлэ!!!»

Ног он лишился уже в преклонном возрасте: ему *отрезалоногитрамваем*. В раннем детстве я была убеждена, что это одно слово, вернее, одно непрерывно воспроизводимое в воображении действие: некое гигантское, ужасное неумолимое *оно*, взмахнув, как кинжалом, трамваем с отточенными колесами, одним махом отрезает долговязые ловкие ноги моему удалому деду, бывшему коннику и танцору.

За что?

Странная глухота и слепота глазастого детства к домашнему окружению: я не помню этого события, хоть мне и было тогда уже лет пять — изрядная дылда. Зато помню всех городских сумасшедших, всех инвалидов в нашей округе, помню грохот подшипников деревянной «инвалидной» платформы по асфальту улицы или глинистому твердому накату двора. Помню божественный вкус нежно хрустящей на зубах ножки голубя, зажаренного пацанами в углях за помойкой; помню наглое покачивание цветастых юбок на молодых цыганках, увешанных монистами и младенцами. Подробно помню волшебное барахло с тележки «шара-бара», запряженной понурым осликом: старый узбек обменивал на бутылки глиняные свистульки и тугие, румяно раскрашенные шары, выдутые из аптечных сосок... Я помню страшное одутловатое лицо нашей больной соседки, которую я считала несчастной старухой, а она вдруг родила славного толстенького младенца. А вот трагедию родного деда вымело из моей пустой кудлатой башки. И даже те картины, что возникают перед моими глазами при упоминании этого случая — всего лишь то, что я вообразила и запомнила с маминых слов. Свидетелем несчастья, рассказывала мама, стал сослуживец моего дядьки, который видел, как дед пытался вспрыгнуть на подножку трамвая и, не удержав равновесия, упал навзничь на рельсы, когда трамвай уже тронулся. Сослуживец бросился в техникум, где мой дядя преподавал физику. В тот день была объявлена контрольная, и в классе стояла тишина, лишь мел дробно постукивал по доске, выписывая условия задачи.

Короче, дядя примчался в больницу как раз в тот момент, когда «Скорая» привезла деда Сэндера в приемный покой. Врач попросил дядю снять с пострадавшего сапоги; тот взялся за правый сапог деда, потянул... вместе с сапогом снялась нога. И — кавалер трех орденов Славы, капитан артиллерийских войск, чья батарея одной из первых вошла в Берлин, — мой дядя свалился на пол без сознания, в обнимку с отцовой ногой.

Когда случилась беда, друзья и сослуживцы (дед был виртуозным рубщиком мяса) собрали приличную сумму и явились к нему торжественной скорбной группой. Денег он не взял. Сказал: «Я ведь живой еще, я заработаю...» И точно: научившись ходить на протезах (ау, молодой и сильный лейтенант Мересьев, чей подвиг мы изучали в советской школе!), вернулся в мясную лавку на Алайском базаре и целый день стоял на тех протезах, разделывая туши. Множество раз я видела, как он работает, как взлетает топор над колодой, как хрястко вонзается страшное лезвие в сизое баранье и бурое говяжье мясо, вздымая зудящие облачка настырных мух... В моем гончем воображении возникало огромное безликое *оно*, и отточенные колеса трамвая хрястко прокатывались по ногам деда Сэндера, *конника* и танцора.

— Почему — конника? — спрашивала я маму в детстве.

— Потому что в Первую мировую дед воевал в кавалерии! Кавалерия — это кони, — отвечала мама, каждый раз возмущаясь моей забывчивостью. Мне же просто нравилось то, с каким гордым любованием произносила она слово «конник». — Твой дед был сумасшедшим лошадником. К нему лошади, даже чужие, шли, как к мешку с овсом. Он и в Отечественную, хоть

Час петуха. *2011*

и пожилым человеком, устроился в конюшню при летном клубе — чтоб с лошадьми быть. Ну, а танцором дед был в молодости таким, что если он танцевал на столе, ни одна рюмка не то что не разбивалась, а даже не звякала! Он и бабку-то *вытанцевал*. Плясал на спор целый час, глядя на нее, не отрываясь; ногами чуял — куда ступать…

Я тогда не понимала, что мой дед — герой. В свои шестьдесят, на двух протезах, только с палочкой, он забирал меня из детского сада и поднимался до нашей коммунальной квартиры на четвертом этаже: ребенок не должен идти один, не дай боже, кто притаился там, в закутке…

К своему положению дед относился житейски-просто. Однажды, вернувшись из поликлиники, растроганным голосом рассказывал про мальчика, что сидел напротив, в коридоре, в очереди к врачу. Как тот мальчик сказал звонким голосом: «Ма, смотри, какой дедушка счастливый: у него ноги ниже колен отрезало».

— У пацана-то культи обкорнали гораздо выше, — добавил дед, ребром ладоней как бы отсекая от своих коленей лишние куски профессиональным движением рубщика мяса.

* * *

А ведь этот домик в большом, полном ребятни ташкентском дворе на Кашгарке (самом вавилонском, самом многоязыком районе утрамбованного эвакуацией безразмерного города), этот саманный домик: комната и кухня, выходящие на большую веранду, увитую старой виноградной лозой, — принадлежал не бабке с дедом, а второй жене моего дяди. Причем женой *расписанной* она так и не стала. Но года три они прожили вместе, для чего и была совершена короткая рокировка: дед с бабкой переехали в ее домик на Кашгарке, а она — в такую же развалюху, мазанку, на улице Чимкентской, которую, вернувшись с войны, своими руками сложил-слепил для себя и родителей мой энергичный дядя.

Смутно помню узколицую блондинку — большая грудь в мохнатой кофточке, уютный вырез, в котором утопает блескучий кулон. Кажется, звали ее Лизой. Кажется, они были коллегами: оба работали в вечернем техникуме, дядя — завучем, она — преподавателем географии.

Ранний вдовец, обремененный трудным пятнадцатилетним сыном, он любил эту женщину, как понимаю я сейчас, сильно, нелепо и даже слегка безумно. А у нее тоже был мальчик, и тоже пятнадцати лет. И, в отличие от моего дикого двоюродного братца, тот был покладистым дружелюбным подростком. Именно он, помнится, пожалев мою тощую задницу, за каникулы отбитую до синяков принудительным катанием на братнином велосипеде, прикрутил к железному багажнику, где обычно я сидела, судорожно вцепившись в рубашку брата, учебник немецкого языка, предварительно обернув его своей футболкой.

— Так удобнее будет, — сказал, улыбнувшись. Его звали Алик... и это милое имя до сих пор произносится в моей памяти с беззвучной улыбкой, заодно вызывая безотчетную симпатию к любому одноименному прохвосту.

Мой вездесущий брат все лето гонял на велосипеде по городу, умудряясь за день досадить и отцу с Лизой, и бабке с дедом, и всем, кому попадался на пути. Бабка любила повторять, что этот *лэйдегеер* — «балбес, бездельник» — повсюду «ищет драку на сраку». *Эр зихт макес аф ин тухес!* — повторяла она в сердцах и была права. Он без устали, самозабвенно искал приключений и, что самое интересное, находил. Чаще всего пострадавшим оказывался он сам, но при этом, даже размазывая кровавые сопли, почему-то выглядел удовлетворенным.

Мне не разрешалось выходить со двора, и это придавало ему азарта. Если что-то не позволено, надо этого добиться любым путем. Меня он выкрадывал.

— Поехали *черта смолить*, — предлагал вначале вполне приветливым тоном.

«Черта смолить» — это было еще одно бабкино выражение, и применительно к затеям моего братца, *этого лэйдегеера*, означало оно не просто «безделье», а совсем уж идиотское ветрогонство.

— Не, — миролюбиво отзывалась я, еще надеясь, что он отвлечется и отстанет.

Иногда так оно и случалось. Но чаще, встретив сопротивление, он загорался и напирал уже всерьез, с возрастающим воодушевлением.

— Только до пива прокатимся, — и хлопал пятерней по багажнику. — Туда и обратно!

— Не, — благоразумно и опасливо отвечала я, зная, что «до пива» (пиво качали из бочек, на углу Кашгарки и улицы Ленина) — это лишь предлог, а покатит он дальше, дальше — до Алайского, до Энгельса, до Первомайской, потом до ОДО, окружного Дома офицеров, а там и до Луначарского шоссе…

Вообще его идей и забав я побаивалась. В характере братца сочетались дикая энергия с полнейшей безответственностью и неожиданными всполохами веселой злости. Бабкино «черта смолить» точнейшим образом подходило к его характеру и устремлениям.

Сейчас понимаю, что у него были явные садистические наклонности. Мои страхи его забавляли, подстрекали, а вечная отключенность и равнодушие к дворовым играм приводили в сильнейшее раздражение.

— Тогда до парикмахерской и назад, — говорил он. — Пулей!

Я ненавидела безумные скачки на багажнике его велосипеда по ухабам и булыжникам, что отзывались в моем щуплом теле каким-то мерзким дребезгом.

— Не, мне мама не разрешает.

— Фуфло! — азартно кричал он, хватал меня под мышки, взгромождал на багажник и бегом выкатывал велосипед к воротам, вскакивая в седло на ходу.

Мы заезжали бог знает на какие окраины; там он ссаживал меня на очередном пустыре, среди развалин саманных домов, поросших травой, и говорил:

— Вернусь мигом, не ссы!

Возвращался, бывало, часа через два-три, наездившись до онемения конечностей…

— Давай, садись, глиста! — раздраженно бросал мне. — Свалилась на мою голову!

Так однажды он бросил меня на старом мусульманском кладбище, на окраине улицы с победным названием Чемпион.

Весь учебный год через это кладбище, что карабкалось по обрыву над речкой Анхор, ходили учащиеся школы № 8. Но в каникулы там воцарялась тишь, и только сухая жара звенела над потрескавшейся глиной да из зарослей выгоревшей травы внезапно катапультировались кузнечики над полумесяцами ржавых покосившихся оград.

Два забытых мавзолея горбились глиняными куполками, некогда облицованными лазурной плиткой. То ли отвалилась она, то ли кто-то отколупал, лишь осколок последней прикипел к старой глине намертво, и в окружении щетины жестких колосков на нем сидел рыжий голенастый скорпион, подрагивая на солнце занесенным серпом членистого хвоста.

А на пригорке, в затененном шатре старой ивы, мощными корнями тянувшей воду из Анхора, оставался пятачок не опаленной солнцем травы в крапинах белой кашки, среди которой пламенели три последних весенних мака.

...Я провела там весь день — видно, брат забыл обо мне и вспомнил, лишь вернувшись домой, когда бабка уже хватилась меня и, перепуганная, искала по окрестным улицам.

На кладбище она меня в конце концов и нашла. Но — не сразу.

Азиатские дремотные сумерки уже напитались зеленовато-волнистым излучением глинистой почвы. В глубокое, еще не черное, а сливовое небо поднимался прозрачный столб мерцающей мошкары.

Когда внизу, на берегу Анхора, показалась сутулая фигура бабки и послышался надрывный крик «Ма-а-амэлэ-э-э!!!» — я пребывала в зачарованном трансе, какой обрушивался на меня несколько раз в жизни. Так в ущелье из-за горных вершин на небесное око внезапно вползает мутная катаракта неизвестно откуда взявшегося облака...

Состояние это напоминает обморок, в чье игольное ушко беззвучно просачивается тонкая струйка жизни. Еще это похоже на два снимка, случайно снятые на один кадр и прорастающие друг в друга.

Механизм погружения в эту бездну можно сравнить с раскручиванием карусели. Некая деталь, образ, мысль, засевшая в сознании и странно меня волнующая, служит осью, и вокруг нее, вначале неспешно покачиваясь, вразвалочку плывет окрестное пространство. Затем хоровод прихватывает бегущие рядом мысли и образы; скорость вращения увеличивается, быстрее, быстрее... вскоре все сливается в пеструю ленту, а затем и вовсе растворяется. Мир вздыхает и гаснет в жемчужном мареве, в питательной среде, способной взращивать самые причудливые фантомы...

Так пророс сквозь мое забытье далекий бабкин рев. Я лежала в плакучем шатре старой ивы, под большой лиловой прорехой, вроде окна; в ней остро вспыхивали еще слабые звезды, постепенно накаляясь, роясь и кружа...

— Ма-а-а-мэлэ-э-э!

Почему я не отзывалась на этот умоляющий зов — мне до сих пор непонятно.

Продолжала тихо лежать, уплывая в звездное окно плакучей ивы, плавясь в тихой истоме блаженного полуобморока…

В конце концов бабка набрела на меня, вздернула с земли, плача и ощупывая с головы до ног.

Мы поплелись домой: она — обессилевшая после стольких часов волнения и слез, я — восставшая от странного сна.

Я ничего не объясняла, да и не смогла бы объяснить, и бабка, видимо, решила, что я просто заснула там, под деревом, потому и не успела испугаться темноты и кладбищенской заброшенности.

Вечером брат был исстеган самолично моей мамой, явившейся после работы навестить дочь и родителей. Узнав о моем приключении, она схватила со спинки стула дедов ремень и увалисто погналась за племянником вокруг стола (она донашивала мою младшую сестру), пытаясь достать поганца. Тот ловко уворачивался, скакал по стульям, взлетал на стол, спрыгивал на топчан, где долгие месяцы кротко умирал от рака дед, дразнил маму и смеялся; правда, и получал время от времени, и тогда взвизгивал, словно от удовольствия, яростно расчесывая место удара…

Но звон и шепот летнего дня и полное звезд окно в темной кроне одинокой ивы с тех пор навсегда слиты в моей памяти со старым мусульманским кладбищем…

* * *

К чему я мысленно расставляю фигуры для очередного драматического спектакля на открытой сцене моего неугомонного воображения? Словно мне предстоит рассказать о некоем волнующем событии… Вздор: ничего особо волнующего не помню. Вот только один эпизод… я назвала бы его обратной рокировкой на *круги своя*.

И это тоже было на каникулах, на летних: во двор въехал грузовик с мебелью, в кузове которого, обняв ореховый буфет без дверец, стоял мой дядька с почерневшим лицом.

Дождь идет. *1995*

Машина подползла к веранде, борта со стуком откинулись, и водитель с дядей принялись втаскивать в дом наспех связанные тяжелые узлы, из которых свисали бессильные рукава и горловины платьев и свитеров. Из кабины упруго выпрыгнул мой брат, раскрасневшийся, возбужденный, и, пока дядька молча сновал из дома к машине, принимая на спину и плечи тюки и мебель, захлебывающимся от восторга шепотом рассказывал на веранде растерянной бабке, как *папа* стоял перед *той* на коленях, умоляя остаться и простить.

— Ни хрена ему не помогло! — с торжеством приговаривал братец свистящим фальцетом. — «Умоляя-а-аю: прости и оста-а-аньсь!»... Ни хрена не помогло!

Ума не приложу, за что мог просить прощения у женщины мой святой дядя, но догадываюсь, что только за сына — паскудник был невыносим. И судя по тому, с каким восторгом, обхватывая обеими руками невидимую бочку перед собой, тот демонстрировал дружкам во дворе размер «Лизкиных титек», полагаю, что та его застукала за подсматриванием. Могу только предположить, что Лиза настаивала на удалении этого оболтуса из дома, а дядя, отлично сознавая, до чего может тот докатиться без отцовского пригляда, не согласился...

Понимала ли я тогда, что на моих глазах происходит одна из тех незаметных прекрасных драм, на которые в конце пути ты оборачиваешься с благодарными слезами? Да нет, конечно. Все поистине драматические события моего детства выглядят сейчас сценами из кукольного спектакля — да детство и не умеет сопереживать иначе. В те минуты картина душераздирающего объяснения в духе индийских мелодрам, заполонивших и покоривших Ташкент, воссияла во всю ширь мечтаний семилетней дуры, и я испытала восторг не меньший, пожалуй, чем мой окаянный брат.

Между прочим, бабка тоже любила индийские мелодрамы.

Однажды пошла со мной на дневной сеанс в кинотеатр «Тридцать лет Ленинского Комсомола», на фильм «Рама и Шама», где всхлипывать начала, кажется, на титрах в начале, а в конце уже рыдала в голос. Мне странно это вспоминать: в ее характере не было ни грана сентиментальности. Вероятно, тут срабатывало некое эмоциональное сопереживание. Хотя ее насмешливый артистизм придавал всему, на что она смотрела, холодноватое остранение: актеры вообще редко бывают сентиментальными.

И, как любой актер, она была напичкана байками и притчами — только не заемными, а почерпнутыми в собственной жизни и в жизни местечка Золотоноша. У нее и притчи об ангелах были похожи на рассказы о соседях и родственниках. Так, в детстве, я много раз слышала о Самаэле и Гавриэле, лихой парочке ангелов, порученцев самой Смерти; они шлялись по миру, выглядывая подходящую дичь, каждый со своим подручным инвентарем. Такими вот баснями потчевала внучку моя артистичная бабка:

— Двое их, — говорила она деловито, будто обсуждала с соседкой купленную на Алайском курицу. — Двое их у нее на подхвате: ангел смерти Самаэль и ангел смерти Гавриэль. Самаэль — тот приходит за грешниками со щербатым ножом, еще и ядом отравленным. О-о-от такой секач, не дай боже! — показывала руками, как рыбак отмеряет размер пойманной рыбы. — А Гавриэль — того за праведниками посылают. Нож его отточен, остер, как бритва, на солнце сверкает. Ударит этим ножом точно в грудь — и отправит тебя прямо в рай!

— Меня?! — пугалась я. Мне тогда не очень хотелось в рай. Да и сейчас не очень хочется.

— Зачем — тебя? Ты что, мамэлэ, не дай боже... ты ж махонькая! Это я так, к примеру... К тому, что о божьем наказании надо помнить.

Кстати уж, о наказании.

В конце жизни она явила свою лютую натуру во всей блистательной полноте; можно сказать, сживала со свету родную сестру Берту. Дед к тому времени давно умер, умер и Бертин муж, любимый мой дядя Миша, а старухи все тянули упряжку несносимых генов семейства Когановских. Так вот, в конце жизни, — после того как знаменитое землетрясение полностью изменило облик Ташкента и в центре его выросли районы безликих новостроек, в одном из которых мой дядька с третьей, окончательной женой получил квартиру, — обе старухи оказались в соседних комнатах. То ли ревнуя, то ли припоминая все грехи Бертиной жизни, бабка азартно преследовала сестру, где и как только могла.

— Побойся бога! — кричал ей собственный сын, мой постаревший дядька, ярый приверженец советской власти и ярый безбожник, само собой. — Бога побойся!

(Увы, вся наша семья склонна к мелодекламации.)

Иногда, впрочем, он кричал что-то вроде: «Совесть имей!» — и я уже тогда в этом чувствовала снижение пафоса, как если б Шекспира на сцене заменил какой-нибудь советский драматург. Бабка с невозмутимым видом отворачивалась: она плевала на этот самый божий суд. А может, настолько была уверена в заступничестве деда Сэндера — там, откуда высылают небесного гонца с орудием казни? Может, надеялась, что во исполнение цехового братства резников дед в последний момент уломает *тамошних* заменить Самаэля с его ужасным щербатым тесаком на милосердного резника Гавриэля, дабы тот опытной рукой пронзил мою грешную бабку сияющим ножом блаженства?..

* * *

По ее рассказам получалось, что была раньше какая-то другая жизнь. Бабка училась в гимназии целых три года, как ни крутите, и влюбленный художник писал с нее «портрэт». Странно, думала я, почему жизнь так изменилась? Куда делись все эти изящные длинные платья, все эти томные позы, романтические венецианские окна, пусть и нарисованные? Где туфельки с медными пряжками? Где, наконец, ее, моей бабки Рахили, холеные ручки? Уж их-то не могла «украсть» никакая революция…

Оказывается, могла и украла.

Впрочем, в детстве мне позволялось открывать большой скрипучий шифоньер с зеркалом, развязывать тюк из старой простыни и копошиться там, в темной пахучей утробе (крахмал, нафталин, затхлая шерсть и сухо скрипящий крепдешин), перебирая «шматэс». Там я откопала черную лаковую сумочку — «клатч», настоящие лайковые, с двумя дырками на указательных пальцах, перчатки, три ветхих воздушных, крючком вывязанных воротничка, а также множество бархатных, меховых и крепдешиновых обрезков.

Но что с детства было предметом моих вожделений, так это бабкина шкатулка с пуговицами, обклеенная настоящими морскими ракушками разной величины — горбатенькими, ребристыми ладошками, каждая наособицу, каждая своего цвета, от молочного до пурпурного, — как и пуговицы, что в ней хранились. Я откидывала ребристую крышку, выбирала самую большую перламутровую пуговицу, с блестящим стеклышком посередке, и спрашивала:

— А эта от чего?

И бабка сочиняла очередную историю из серии «у нас в Золотоноше»; и поскольку я не умела и не хотела шить, штопать, вышивать и вообще возиться с мерзкой кусачей иглой и нудной ниткой, вечно выпадающей из угольного ушка, история была, конечно, о нерадивой дочке тамошнего «почтаря» или фельдшера, об избалованной дочке, которая иголку в руках удержать не могла и пуговицы пришивать чуралась, а потому папаша каждый месяц привозил из Полтавы дюжину новых пуговиц, старые-то повисят-повисят на нитке, да и потеряются... И вот однажды посватался к ней человек удачный, *уважительный* и самостоятельный, из Фастова. Папаша обрадовался и по такому случаю решил заказать одному такому-некоему художнику дочкин *портрэт*, чтоб она — в красивом жакете с перламутровыми пуговицами...

Стоп! А между прочим: что же, в конце концов, стало с *нашим* портретом?

Да ничего — в сущности. Стоял на комоде, потом сгинул вместе с изрядной половиной семьи — обычная присказка рутинных трагедий моего народа в середине двадцатого века.

Но между тем утром, когда моя восемнадцатилетняя бабка Рахиль, еще не *вытанцеванная* моим дедом Сэндером, сидела на стуле и послушно смотрела туда, куда просил ее смотреть художник (на угол зеркала, где солнечный луч высекал снопы радужных игл), — так вот, между тем утром и бездной войны, эвакуации, нищеты и убожества послевоенной советской жизни произошло, как выясняется, кое-что еще.

Кое-какой эпизод...

Однажды, припомнила мама, классе в пятом она вернулась из школы, и в комнате за круглым столом сидела ее мать Рахиль, а напротив какой-то дяденька, торопливо вытиравший обеими ладонями лицо. И хотя он отворачивался и даже не кивнул на звонкое мамино «Здрасьте!», мама, девочка и в те годы приметливая, поняла, что дяденька плакал. А потом он ушел, чуть ли не бегом, даже не обернувшись на очень задумчивую мою бабку.

— Думаю, это он и был. Из Харькова приехал, перед своей свадьбой — в последний раз на нее поглядеть. А не женился-то, прикинь, сколько лет?

— Художник?! — ахаю я.

— Да какой художник, — отмахивается мама. — Он в те годы уже не был никаким художником. Тогда разве до баловства людям было. Он был главным технологом на каком-то крупном швейном предприятии — так Маня потом рассказывала, а Маня, их младшенькая, ох, та была наблюда-а-ательная… Постой! — Мама шлепает себя по коленям. — А вот пальто же, пальто, а?!

— Какое еще пальто?

— Ну, пальто ж ее — роскошное, шевиотовое, воротник норковый… ах ты, господи, ведь это он ей привез, а? Я ведь теперь только поняла: привез тогда ей в подарок. Ну, как же! Откуда еще могло такое у нас взяться? Она, конечно, деду-то легенду сочинила — это ей было раз плюнуть. Но так, если подумать… больше неоткуда. Главный технолог предприятия, он это пальто ей, должно быть, спецзаказом провел… Да ты что, балда, не помнишь наше знаменитое семейное пальто?!

Как же такого не помнить, когда бабкино пальто — действительно роскошное, сшитое по каким-то заграничным лекалам, — сопровождало меня чуть не половину моей жизни. Вернее, прожив половину *своей* жизни, оно словно бы догнало меня на середине собственного пути, и далее мы существовали рядом. Сначала много лет его носила бабка — тогда еще высокая, статная — и шоколадного цвета шевиот облегал ее фигуру так зазывно, что… (Тут опять мама: «Да на нее оборачивались!» Я: «Ты говорила — на пляже оборачивались». Мама: «И на пляже, и в пальто! Мужской глаз, знаешь, как цепляет!»)

Короче, бабка носила пальто до войны и в эвакуацию — вернее, в три эвакуации — на Кавказ, в Казахстан и, наконец, в Ташкент, — пальто с собой потащила и, что удивительней всего, сохранила. Не продала, не обменяла на продукты даже в самые тяжелые военные зимы. Затем, в пятьдесят втором, когда поженились мои родители, пальто торжественно перешили маме — это был царский свадебный подарок: в то время такое пальто, говорит мама, уверяю тебя, совсем не на каждой даме было…

И мама, на которой пальто сидело *умопомрачительно элегантно* (каждая эпоха награждает свои ценности собственными эпитетами), тоже носила его ой-ёй-ёй сколько лет, пока, основательно его перелицевав, не сшила

Созревание. *2001*

мне (кажется, классе в шестом) миленькую курточку до колен, выкроив из лысоватого воротника дивные обшлага на рукава. И я бы носила эту курточку с удовольствием, если б не все тот же двоюродный братец, который с поразительным упорством дразнил меня «полупердином», когда я ее надевала.

А на закате биографии — увы, столь частый удел многих блистательных биографий — роскошный шевиот отправился на хозяйство: из курточки сшили Дуню — ватную бабу с целлулоидной головой моей старой куклы, под которой грели обед. Просторное шевиотовое брюхо, подбитое ватином, хранило нутряное тепло вареной картошки, макарон по-флотски, а чаще всего гречневой каши — любимого блюда нашей семьи.

* * *

Вот тут о гречке. И о бабке…

В детстве я бесчисленное количество раз наблюдала, как моя бабка моет гречку. Сначала разбирала ее, сидя за столом на высоком, чрезвычайно неудобном табурете (ноги болтаются, спина согнута колесом), вылавливала щепочки, откатывала пальцем крошечные камушки, отсортировывала черные крупинки, наконец, ребром пригоршни скатывала горстку в частый сетчатый дуршлаг. Затем отобранную гречу принималась мыть, и мыла, и мыла, и мыла под сильной бесконечной струей…

Вбегая со двора на кухню, я говорила:

— Ба, ну ты здесь водопад погнала!

Она неизменно отвечала одной и той же притчей. Распевным тоном, громко, перепевая шум воды:

— Вот собрался жениться самый богатый холостяк местечка. И пошли сваты по домам. Везде один и тот же вопрос девушке задавали: «Ты сколько раз гречку моешь?». Одна отвечала: «Трижды мою». Другая, аккуратистка, хозяюшка, отвечала: «Аж пять!» Наконец, приходят в совсем бедный дом, выходит пичужка — смотреть не на что… «Сколько раз ты, милая, гречку моешь?» Поглядела она на них ясными глазками и говорит: «Пока чистой не станет». «От эту берем!» — закричали сваты…

Думаю, бабка с ее притчами и историями типа «Иду я вчера, а мне навстречу…» — она и была первым для меня ненавязчивым консультантом по стилю. Иногда меня не устраивали какие-то сюжетные подтасовки, я внутренне восставала, пыталась уличить ее в стилистических натяжках:

— Почему у третьей — ясные глазки? — упрямо уточняла. — Она их тоже долго мыла?

— Та не, — легко отзывалась бабка. — Так оно к слову пришлось.

Иногда мне хотелось сделать назло, сломать лилейный и ханжеский образ притчи. И в другой раз (бабка была способна невозмутимо пересказывать одно и то же хоть и каждый день), на словах «выходит пичужка, смотреть не на что…» я мерзким голосом выкрикивала:

— Выходит лохматая, грязная, хромая, картавая: «Я тут вашу духацкую гхэчку мою, мою, мою весь день, потому что я — ду-у-ха!»

Довольно часто, когда мне хотелось ее довести, я принималась хохотать, как безумная, над каждым ее словом.

Тогда она значительно говорила:

— Есть два типа женского лица: «Подойди ко мне!» и «Отойди от меня!»…

И сразу становилось ясно, какой тип женского лица я в данный момент представляю.

Если же я упорствовала в своем идиотском хохоте, не умолкая, сама от себя заражаясь щекотливым всхлипывающим весельем, она укоризненно произносила на идише:

— Отец, ты смеешься? Горе твоему смеху…

Почему никогда не пришло мне в голову выяснить, отчего это она обращается ко мне словом «отец»? Из какой высокой трагедии взяты эти слова? И *какой* отец имеется тут в виду… Все то же глазастое, но равнодушное детство: ведь мир принадлежит тебе одному и вращается вокруг тебя со всеми своими людьми, словечками, поговорками, чудесами, и так оно и должно быть, и будет так всегда…

Идиш я понимала. Не все, но общий смысл. На идише бабка говорила только с дедом и мамой. Когда они усаживались делать пирожки с капустой или с яйцом, или принимались шить, штопать — мягкая гортанная речь перелетала от одной к другой где-то над моей макушкой, едва касаясь сознания… Если дважды, со вздохом повторялось *цим лomp* — «до лампы», — можно было быть уверенной, что речь идет обо мне; бабка любила приговаривать, что *этой упрямой козе* все — «до лампочки». И, по сути дела, это было правдой: я росла девочкой, замкнутой в своем мире. Да такой, собственно, и осталась — если принять во внимание скуку, что неизбежно охватывает меня в любом общественном действе, в самом интересном месте спектакля, в гуще всевозможных «презентаций», «фуршетов» и прочей маеты...

* * *

Иногда на меня накатывало желание покрутиться возле нее на кухне, послушать еще какую-нибудь историю, поучаствовать в приготовлении мацы, которую бабка не покупала, а всегда выпекала на Пасху сама. Это были тонко раскатанные круглые пластины пресного теста, которые она протыкала вилкой — «чтоб дышало». Если я хорошо себя вела, мне поручалось «тыкать».

— Натычь, — говорила бабка, вручая мне тяжелую вилку, и, схватив ее в кулак — так убийца хватает нож, — я, остервенело оскалившись, быстро-быстро всаживала все четыре зубца в кругло раскатанный блин, усеивая его множеством ранок.

(Такую мацу лет сорок спустя я видела на иллюстрации к старинной испанской пасхальной *агаде*. Значит, испанские кумушки пятнадцатого века мацу готовили в точности как моя бабка...)

Когда мы с нею «работали», между нами возникало теплое чувство совместного деятельного усилия. Если ей казалось, что я мухлюю, она, глядя в окно на хлопотливую тополиную листву, меланхолично произносила длинную фразу на идише, которую сама тут же и переводила эпическим полунапевом: «Небо и земля клялись, что тайн на свете не бывает».

— Каких еще тайн? — подозрительно уточняла я.

— Та я к слову, — невинно отзывалась хитрая бабка.

С нею ловко было работать — уютно, ладно, споро... Недаром на конфетной фабрике своего отца, а моего прадеда Пинхуса Когановского Рахиль была лучшей заворотчицей. Вот надо же, чуть не забыла: ведь моя бабка на старости лет стала *стахановкой*! Перед войной ее, вечную домохозяйку (дед Сэндер считал, что женщина должна сидеть дома и растить детей), сестра Вера, впоследствии расстрелянная в очередном рву под Полтавой, решила устроить на местную конфетную фабрику, где сама работала бухгалтером. «Будет тебе *черта смолить*, — говорила она, — дети выросли, хозяйство невеликое. А тут все же общество, и подработаешь».

Когда начальник цеха увидел *новенькую* — женщину немолодую и дородную, — он сказал Вере:

— Ты что, Верпетровна! Ты б еще инвалида какого приволокла… Мне ж ее год учить, не меньше. Не-е… в нашем деле молодая сноровка нужна…

— А разрешите к столу присесть? — спросила бабка и, уже не обращая внимания на начальника цеха, села в ряду мастериц-заворотчиц и принялась за дело. Через минуту вокруг нее собрался весь цех. Люди глаз не могли оторвать от едва заметной ювелирной точности и феноменальной скорости, с которой полные руки этой женщины совершали множество молниеносных движений.

Так вот, бабкины притчи. Все они были из разряда про *живую жизнь*. Рассказывала она как бы между прочим, неторопливо, закрывая пельмешки, заворачивая голубцы, раскатывая скалкой круг теста или уминая ложкой фарш в пустое нутро болгарского перца. Но в тот момент, когда должна быть произнесена ключевая реплика, приостанавливалась. Вот кто умел держать паузы — так это моя бабка. Системы Станиславского она не знала. Но оторвать взгляд от движения ее бровей, губ и глаз было невозможно:

— У нас в Золотоноше семья жила, аптекой владели… Всем там заправляла мамаша — грозная старуха была, скупая. Кухарки у них не было, мамаша сама кухарила. И требовала, чтоб вечером вся семья за ужином собиралась. Самолично каждому в тарелку клала кусок мяса из борща. Однажды сын — так получилось — приходит домой пораньше. Ищет мать… в комнатах нет, во дворе нет… Заглянул на кухню — а там сидит его мамаша, выловила из борща лучшие куски мяса, полную тарелку себе наложила и уплетает за обе щеки. «Что вы делаете, маман?» — спрашивает сын, вытаращив глаза. «Что я делаю? — отвечает та. — Я кормлю вам вашу мать!»

Это — при нарочитой скупости жестов — всегда была точно разыгранная сценка. Неприятно удивленный сын, заставший мать за поеданием лучших кусков, и — легкое движение бровей, усмешка, пожатие плеч — великолепный апломб невозмутимой старухи. Одна картинка сменяла другую, и, бывало, за приготовлением пирожков бабка умудрялась развернуть передо мной целый ряд сцен и анекдотов из жизни дореволюционного местечка. Иногда та или другая история возникала на почве раздора, когда, к примеру, мне предлагалось вымыть посуду, а я бесстыдно отлынивала.

— Женское лицо... — начинала она.

— Знаю, знаю! — огрызалась я. — Бывает двух типов: отойди-подойди!

— Та я ж не о том, — покладисто отзывалась бабка. — Я о жизни. Бывает, повезло девушке: родилась она ладненькая, да красивая, да с характером... Но счастье совсем не этим приманивают.

— А чем? Чем?!

— У нас в Золотоноше семья жила, люди серьезные, состоятельные... Он был закупщик, деловой такой мужчина, со *срэдствами*; жена шила наряды аж в Киеве. Дочь у них была одна, и такая, скажу тебе, дочка... ой-ёй-ёй! И вот к ней посватался один из Сатанова. Тоже не бедный: компаньон отца по торговым делам. Не очень молодой, но так, в возрасте и еще в силе. Свадьба была — дым коромыслом. Петарды в небо пуляли, аж на дальних лугах было видно, как днем. Ну, отпраздновали, и отбыли молодые в Сатанов... Проходит неделя, другая... никаких оттуда вестей. Молчок, тишина... То-о-олько мамаша с папашей наладились в гости к дочери — как там, *эр зугт*, наша дочка хозяюшкой в дому живет? — как однажды утречком едет издали телега, со стороны Сатанова. Ме-е-е-едленно едет, потому как гружена доверху. А за телегой мальчишки бегут — гвалт, шум, свист... Соседи выглядывают в окна и видят: правит телегой зять...

— Компаньон? В возрасте и силе?

— Ну да... Правит зять телегой, а за ним сидит понурая молодая. А позади — гора немытой посуды! Чашки, тарелки, супница в лиловый цветочек...

— Потому телега медленно ехала? Чтоб не разбить?

— Ну да. Ты слушай, слушай. Для тебя рассказываю... Приближается этот *кортэж* к дому... останавливается... И на глазах оторопевших родителей зять ссаживает молодую. Принимайте, *эр зугт*, свое сокровище, а заодно и все ее приданое. Ни одной чашки, *эр зугт*, за три недели она

Ущербная луна. *2011*

не помыла. Кончался один сервиз — ели на другом. А теперь, *эр зугт*, сервизы кончились, и таки закончилась моя семейная жизнь…

Лицо ее при этом сохраняло невинное и даже особо доверчивое выражение, но при этом она, якобы украдкой, посматривала в сторону таза, полного грязной посуды.

— А-а-а! — вопила я. — Ты все врешь! Это ты придумала! Супница в лиловый цветочек! Придумала!

— Как такое можно придумать, — укоризненно отзывалась она. — Это же не книжка, это *живая жизнь*…

* * *

«Живая жизнь», которую моя бабка так любила расцвечивать своими историями, остается неизменной, даже когда заканчивается.

Бабкина долгая цепкая жизнь закончилась без меня — я в то время жила в Москве, и о том, как поживает моя «заядлая бабка», узнавала из маминых звонков. В последние годы бабка сидела в кресле, ноги отказали, но память и ясный ум не оставили ее до самого конца.

— Ты что на завтрак приготовишь? — спрашивала она уже немолодую мою маму, которая добиралась к ней каждый день двумя трамваями.

— Оладушек нажарю…

— Оладушки были вчера.

— Может, овсянку сварить?

— Овсянка позавчера была… У тебя что, фантазии не хватает? У нас в Золотоноше семья жила, так их ленивая прислуга наладилась каждый божий день жарить драники с лучком… И все драники и драники: в понедельник — драники, и во вторник — драники, и в среду…

Это было тяжелое время, когда я решала самую трудную задачу своей жизни — извечную задачу моего народа по возвращению на круги своя — большую рокировку на пути преодоления Синайской пустыни.

В один из предотъездных вечеров позвонила мама и заплаканным, но освобожденным голосом проговорила:

— Бабушку похоронили… Вот смерть! Во сне ушла… Кто угодно позавидует.

Выходит, подумала я тогда, дед Сэндер все-таки выхлопотал для своей Рухэлэ легкую участь — там, где усердно правит нож его коллега по цеху резников ангел смерти Гавриэль.

— Грешно сказать, — добавила мама со вздохом, — но она будто подорожную нам выписала. Давай, диктуй по пунктам — с чего начинать там, в этом ОВИРе?

В те дни и недели, одолевая предотъездный морок, я слишком была взвинчена, слишком измучена переживаниями, слишком яростно боролась в каждой ночи с собственным ангелом, пытаясь вырваться из тисков сомнений и страха; и в то же время слишком была устремлена в неизвестное, обмирая от мысли, что неверным решением могу погубить всю семью...

Кончина девяностопятилетней бабки в эти дни ощущалась мной как всеобщее освобождение: так вол, нагруженный жестокосердным хозяином, сбросив со спины один из тяжелых тюков, легче ступает по краю пропасти...

* * *

Думать о ней, о ее жизни я стала совсем недавно... Возможно, потому, что состарилась мама и вдруг сквозь ее совсем иные родовые черты стала проступать бабкина мимика, ее вздергивание брови, ее морщинистая усмешка... А может, потому, что повзрослела моя дочь и стала напоминать юную бабку на той допотопной фотографии. Бывает, сидим за субботним ужином, и принимается она рассказывать что-то смешное из своей археологической практики: все те же развалины, библейская скала, обломки колонн — а я глаз не могу оторвать от ее взлетающих рук. Впрочем, любовь к дочери — дело нехитрое.

И все-таки что заставляет меня столь настойчиво думать о бабке?

Я пытаюсь осмыслить страшное несоответствие между отпущенными ей при рождении дарами-талантами и тусклой, ничем не примечательной судьбой домохозяйки. О ее жизни, выброшенной на ветер; о неудаче творца, о разбазаривании такого богатого материала. Что случилось там, наверху, в момент, когда перл человеческий вышел на орбиту Судьбы? Чего не учли, что не доделали в высочайшем отделе кадров и кто из ответственных лиц так напортачил?.. Другими словами: как умудрились бездумно *запороть такой объект?*..

— Помнишь, какой она была рассказчицей? — спрашиваю я маму.

— Я тебя умоляю, — отзывается та. — Что такого бабка могла рассказать? Историю из трамвая?

— Ты что?! — кричу я с досадой. — Не помнишь ее монологи?! Она ведь сама сочиняла текст, когда изображала людей. Да в ней умерла великая актриса и, может быть, замечательный писатель!

— Ты домысливаешь... Творческое воображение. Вот когда я объясняла урок на тему «Убийство императора Павла Первого» и описывала, как...

Ну да, да, это правда: когда мама описывала, как, заслышав шаги убийц на лестнице, Павел вскочил с кровати и спрятался в камине... «Но экран камина не мог скрыть его ноги, — торопливо-взволнованно продолжала мама, простирая руку в угол, — и едва взошла луна, осветив эти бледные полудетские ступни — там, там, в углу комнаты!..» В этом месте весь класс, как по команде, вставал и завороженно глядел в пустой угол аудитории.

— И все-таки, — не успокаиваюсь я. — Если б она вышла замуж не за деда Сэндера, а за того художника и он увез бы ее, скажем, в...

— Он увез бы ее в Харьков, где она точно так же родила бы двоих детей, и мыла гречку, и раскатывала мацу. Не тешь себя иллюзиями. Это просто в ней артистическая жилка билась, как во всех нас. Вспомни: когда ты выступаешь, кто-нибудь из публики обязательно спрашивает, какой театральный институт ты закончила.

И это, что уж там скрывать, — правда...

* * *

А *живая жизнь* все длится, обнаруживая удивительные переклички нрава и повадок через поколения. Персонажи бабкиных притч все в конце концов оказываются мною, лично мною — к моей досаде или насмешке.

Вот как я мою гречку. Завершив работу над рукописью к обговоренной дате, я тяну и тяну, не в силах с ней расстаться. Там заменю одно слово

Ноктюрн. *1994*

на другое, подумаю и верну прежнее; там вместо точки поставлю запятую, сотру и заменю многоточием. Ведь *живая жизнь* из всех знаков препинания в финале предпочитает именно многоточие.

Недавно, читая сборник притч и рассказов о Беште — великом Баал-Шем-Тове, мудреце, каббалисте и хасидском мистике XVIII века, что жил неподалеку от бабкиных мест, в украинском местечке Меджибож, — я с удивленной радостью встречала бабкины притчи. Не в точности ее истории, другие, но это был все тот же извод на тему: «Однажды идет он, а навстречу…» или: «Жил у нас в Сатанове один мужчина…» А то и так: «Женился он на другой, и родила ему та двух сыновей. И не знаю, близнецов ли или же одного за другим…»

Это была все та же поучительная, обстоятельная библейская телесность, та же конкретность деталей в сочетании с мистическими высотами сияющих чудес.

Целый мир, целый огромный мир парил там над землей, не улетая, однако, ввысь, но и не растворяясь в воздухе, а протягивая крепкие нити между землей и небом, как бы втолковывая всем нам, что не может быть одного без другого и что *небо и земля клялись: тайн на свете не бывает…*

Кто только не населял мир этих притч, кто только не клубился, сталкиваясь, переплетаясь и дивясь один другому! Там лихие ангелы входили в дом к бедняку, просясь на ночлег, там усердно, будто золотой песок, хозяюшки мыли гречку до небесной чистоты житейских помыслов, там бродяги и *лэйдегееры* смолили на продажу отборных чертей; там милосердный резник Гавриэль вонзал блаженный нож в иссохшую грудь нищего праведника, отпуская в полет его истомленную душу…

Но вот что интересно мне сейчас: всего три года обитали в домике на Кашгарке мои дед с бабкой, всего несколько каникулярных недель я у них провела и, в сущности, мало что помню: узбекское кладбище на взгорке, последний лоскут последнего майского мака под ветерком; бегущего по засохшей глине скорпиона, старую иву с лиловым окном-прорехой в текучей кроне…

Почему же отсюда, с моих нынешних, совсем иных географических и временных горок, именно этот домик с верандой кажется мне цитаделью спокойствия и любви в сердцевине беспокойного детства? Почему не могу я забыть бинты, змеящиеся по полу, сизые культи еще живого деда и то окно, исполненное листвы или застывших ледяных картин?

Почему до сих пор манит меня огненный мотылек скудеющей свечи в том давнем, почти неразличимом окне, где все еще трепещет птичьими крыльями заполошная листва начала моей жизни?

Начала жизни, которой не будет конца…

Ты смеешься, Отец? Ты — смеешься?
Горе твоему смеху…

Иерусалим, июнь 2011

Страж Гранд-канала. *2004*

Снег в Венеции

«…Вступает домино — и запретов более не существует. Все гениальнейшие в Городе убийства, все трагедии ошибок случаются во время карнавала; и большинство любовных драм завязываются и разрешаются в течение этих трех дней и ночей, когда мы — на миг — обретаем свободу от рабства паспортных данных, от самих себя…»

Лоренс Даррелл, «Бальтазар»

Более всего этому городу идет ночь, и, вероятно, особенно хорош бывал он в зловещем свете факелов, в каком-нибудь семнадцатом столетии.

Впрочем, тревожное пламя факела и сейчас иногда озаряет вход в ночное заведение, заманивает в глубокую арку или обнажает подраненный бок кирпичной стены, который неосознанно хочется чем-нибудь подлатать.

С наступлением темноты в черной воде каналов тяжело качаются огненные слитки света. Под каменным гребнем моста Реальто ворочаются с боку на бок гондолы, задраенные на ночь синим брезентом. Мелкая волна раздает оплеухи набережным и сваям, а у входа в палаццо, где мы пьем последнюю за день чашку кофе, два гигантских фонаря на причале освещают витые деревянные столбы, увенчанные полосатыми чалмами, что свалились сюда из сказки о золотом петушке и Шамаханской царице…

1

Но бешеный рваный огонь возник перед нами во второй вечер карнавала, на узкой улочке в районе Каннареджо, на вид совсем уж захолустной. Мы сбежали туда с площади Сан-Марко, чьи мраморные плиты, усыпанные конфетти, утюжила подошвами ботфорт и золоченых туфелек, мела подолами юбок и плащей возбужденная костюмированная толпа.

Только что на пьяцце завершилось театрализованное представление в роскошных декорациях, возведенных по эскизам главного сценографа Ла Скалы. Золотом и бархатом сверкали расписанные красками фанерные ложи, экран на заднике сцены в десятки раз увеличивал фигуры отцов города в костюмах венецианских дожей, и когда, овеянные штандартами, они под барабанный бой и вопли фанфар спустились наконец со сцены, публика ринулась к трехъярусному фонтану — подставлять кружки, пригоршни, футляры от очков и даже туфельки под розовые струи вина провинции Венето.

А мы брели в туманном киселе февральских сумерек, дивясь меланхолическому одиночеству этой улицы, как бы утонувшей, исчезнувшей с карты карнавала — возможно, по случаю перебоев с электричеством. Видимо, город, не выдерживая напряжения всех карнавальных огней, отключал на время какие-то менее туристические районы. Хотя и тут мы то и дело натыкались на извечные венецианские промыслы: за арабской вязью низкой приоконной решетки мастерской по изготовлению масок лежал брикет скульптурного пластилина, стояла банка с кистями, кастрюлька с клеевым раствором, ступа с пестиком набекрень…

Мы шли, и я рассказывала Борису о вычитанной в одной из книг о Венеции изобретательной и веселой казни, которую практиковали в дни карнавалов: осужденного на смерть преступника выпускали на канат, натянутый для канатоходцев между окнами палаццо.

— Ну что ж, — благодушно отозвался Боря, — все-таки шанс…

— О да: либо пройдешь до конца и спасешься, либо умри шикарной смертью артиста.

Вдруг из арки впереди выплеснулась лужа огня. За ней вынырнула фигура высокого мужчины в черном плаще с капюшоном. То, что это «моро», видно было не только по маске, но и по явно загримированной мускулистой руке, в которой пленным пламенем опасно захлебывался факел. Мы даже отпрянули, хотя карнавальный мавр находился шагах в сорока от нас.

— Ты идешь? — крикнул он по-английски кому-то за спиной.

— П-п-погоди, туфель спадает! — Из той же арки возникла высокая тонкая фигура в лилово-дымчатом, цвета сумерек, платье, в серебристой полумаске и круглой шапочке на пышных каштановых кудрях. Девушка огляделась по сторонам, обеими руками подхватила подол юбки и заспешила вслед за своим грозным спутником.

— Хороши!.. — невольно выдохнула я.

Они повернули к горбатому мостику в конце улицы (яростный огонь в вытянутой руке мавра метался по кирпичу стен, вывалив пылающий язык, словно ищейка на обыске), поднялись по ступеням на мост и канули — так за горизонт уходят корабли, — утянув за собой отблески пламени. И наступила тишина, такая, что в воздухе родился и долго дрожал где-то над дальним каналом стон гондольера:

— О-о-и-и-и!..

— Знаешь, кто это был? — спросил Борис. — Та странная пара, с нашего катера.

— С чего ты взял? Как тут опознаешь…

— Да по голосам, — отозвался муж. Довод в нашей семье убедительный: он безошибочно узнает голоса актеров, дублирующих западные фильмы.

— К тому ж она заикается, — добавил он. — Ну, и рост: оба такие заметные… Наверное, костюмы напрокат взяли… Недешевое удовольствие! У них и чемодан был — помнишь, какой?

И пустился в рассуждения о том, что чернокожие очень органичны в этом культурном пространстве: достаточно вспомнить картины венецианца Веронезе, со всеми его курчавыми арапчатами, живописными иноземными купцами в тюрбанах, лукавыми черными служанками…

— Да и тот же Отелло, — подхватила я, — как ни крути, не последним тут был человеком.

Кстати, чернокожий портье у нас в гостинице был добродушен, предупредителен, расторопен и, на мой слух, отлично говорил по-итальянски. Впрочем, и я, на слух непосвященных, отлично говорю на иврите…

* * *

Мечта о венецианском карнавале сбылась нежданно-негаданно и сбылась, как это часто бывает, в считаные минуты: просто я заглянула туда, куда обычно не заглядываю: в рекламный проспект компании «Виза», который получаю каждый месяц по почте вместе с распечатками трат, по мнению моих домашних, «ужасающими». Там, наряду с путешествиями в глянцевые Барселону, Таиланд и Китай предлагался «Карнавал в Венеции: полет + три ночи в отеле». Цена выглядела вполне одолимой, тем более если покрошить ее на платежи, как голубиный корм на Сан-Марко. И, не давая себе ни минуты опомниться, я позвонила и радостно заказала два билета...

В то время мы с Борисом уже задумали эту странную совместную книгу, где оконные переплеты в его картинах плавно входили бы в переплет книжный, а крестовина подрамника служила бы образом надежной крестовины окна-сюжета. И без венецианских палаццо — с кружевным и арочным приданым их византийских окон — вышло бы скучновато.

— Ну, ясно, отчего так дешево, — огорченно заметил мой муж. Он изучал в Интернете карту на сайте отеля. — Мы загнаны в Местре.

— Как?! С чего ты взял?! — ахнула я.

— С того, что неплохо на адрес гостиницы глянуть, прежде чем банк метать...

Я глянула и застонала: опять мы из-за моего придурковатого энтузиазма обречены молотить кулаками воздух после драки.

А тут еще Борис припомнил слова нашей итальянской подруги о том, что на карнавальную неделю венецианский муниципалитет расставляет по городу регулировщиков, дабы направлять по узким улицам потоки туристов.

— На эти дни надо снимать комнату исключительно в центре, — говорила она. — Жить в пригороде во время карнавала — это самоубийство: сорок минут в электричке, толкотня, жулье, столпотворение народов и уже к полудню — отброшенные копыта.

— Хочешь, пошарю в Интернете? — сочувственно предложила дочь, забежавшая к нам после университета. — Вдруг что-то выловлю.

— Да бросьте вы! — крикнул Борис из мастерской. — Безнадежно... Люди разбирают гостиницы на карнавал по меньшей мере за год.

Однако вечером дочь позвонила.

— Слушай, тут выплыл номер! Может, кто отказался. Отель — три звездочки, в двух шагах от Сан-Марко...

— Сколько? — нетерпеливо оборвала я.

Она назвала сумму, от которой я задохнулась.

— Сволочи, сволочи, сво-ло-чи!

«Доброе утро, синьор почтальон!». *2007*

— Само собой, не заказываем?

— Заказываем, само собой!!! — крикнула я, как раненый заяц. Деваться-то было некуда.

* * *

Мы опасались, что в очереди на катер «Аэропорт — Венеция» придется отстоять немало времени, но — приятная неожиданность — поток пассажиров хлынул к стоянке такси и обмелел на подступах к кассам общественного морского транспорта. Так что, свободно купив билеты, мы вышли на причал и спустились в салон небольшого катера, что терпеливо вздрагивал на холодном ветру и всхлипывал в мелкой волне, как дремлющий пес на привязи...

Я плюхнулась на скамью возле иллюминатора и тоже задремала, а когда проснулась, катер уже взрыхлял лагуну, точно плуг — разбухшую почву, прогрызая в зеленой воде пенистый путь, и, как от плуга, плоть волны разваливалась по обе стороны от винта. В какой-то момент поодаль возникла и развернулась каменная ограда кладбища Сан-Микеле. Зимнее солнце стекало по черному плющу кипарисов на камни ограды, быстро перекрашивая их широкой кистью в розовый цвет. Мы огибали острова, причаливали, сгружали туристов, раскачиваясь и со стуком отирая бок о причал, и вновь сиденье подо мной дрожало, вновь дребезжало какое-то ведро на корме, и между бакенами убегал назад кипучий хвост адриатической волны...

Борис, как обычно, что-то набрасывал карандашом в дорожном блокноте, бегло вскидывая взгляд и опять опуская. Я скосила глаза на лист и увидела портреты двух пассажиров. Зарисовывать их можно было, не скрываясь: слишком оба заняты собой, причем каждый — собой по отдельности.

Необычная пара: он — высокий, смуглый, атлетического сложения пожилой господин в длинном пальто, с абсолютно лысой, а может быть, тщательно выбритой головой брюзгливого римского патриция. А она — красавица из красавиц. Я даже себе удивилась: как могла пропустить такое лицо!

Юная, лет не больше двадцати, тоже высокая и смуглая, в расстегнутом светлом плаще, который она то и дело нервно запахивала. Редкой, прямо-таки музейной красоты лицо, из тех, что глянешь — и лишь руками разведешь: нет слов! Как обычно, дело было не в классических чертах, что сами по себе погоды еще не делают, а в их соотношениях, в теплом тоне кожи, в каких-то милых голубоватых тенях у переносицы, в ежесекундных изменениях выражения глаз. А сами-то глаза, ярко-крыжовенного цвета, глядели из-под бровей поистине соболиных: густые разлетные дуги, прекрасное изумление во лбу. Это все и определяло: неожиданный контраст смуглой кожи с весенней свежестью глаз, да еще роскошная грива темно-каштановых кудрей, спутанных маетой ночного рейса.

Господин в длинном пальто всю дорогу непрерывно говорил по двум телефонам, полностью игнорируя спутницу, хотя она то и дело к нему обращалась, даже подергивала за рукав — как ребенок, что пытается завладеть вниманием взрослого. Время от времени он вскакивал и разгуливал по салону катера, содрогавшемуся в усилии движения, и вновь садился, нетерпеливо перекидывая ногу на ногу, иногда грозно порявкивая на невидимого собеседника. Похоже, он давал указания сразу трем туповатым подчиненным или заключал по телефону сразу три крупные сделки. Говорил на каком-то смутно знакомом мне по звучанию языке, хотя девушке отвечал — да не отвечал, а буркал — по-английски. Возможно, ему не хватало терпения ее выслушивать: она довольно сильно заикалась. Юной красавице он годился в отцы, хотя мог быть и мужем, и возлюбленным, и боссом.

Наконец дорога меж бакенами сделала очередную дугу, катер лег на бок, разворачиваясь, и утренней акварелью на горизонте — слоистая начинка черепичных крыш меж дрожжевой зеленью лагуны и прозрачной зеленью неба — открылись купола и колокольни Венеции, к которой катер энергично припустил вскачь.

Интересная пара сошла на остановке «Сан-Заккария». Поспевая за мрачноватым спутником, девушка что-то горячо повторяла, потрясая глянцевым листком какой-то рекламы, извлеченным из сумочки. В тот же миг в кармане его пальто очередной раз грянул марш, он выхватил мобильник и прикипел к нему, отмахиваясь от девушки.

— Ты обратила внимание, какой у них чемодан? — спросил Борис.

Явно очень дорогой чемодан на упругих колесах, с множеством накладных карманов, застежек и ремней катил за хозяевами послушно и легко и казался общим ребенком, которого усталые родители волокут домой за обе руки.

* * *

Наш отель стоял на одном из каналов. Попасть в него с набережной можно было только через горбатый мостик: мини-аллюзия на замок с перекидным мостом через средневековый ров. Высокие окна вестибюля — днем, несмотря на холод, открытые — тоже выходили на канал, и во всех трех — изобретательная дань карнавалу! — присели на подставках дивные платья XVIII века: одно — классической венецианской выделки, бордо с золотом, все обшитое тяжелым витым шнуром; второе — пенно-голубое, сборчатое, облачное, обвитое лентами по плечам и талии, присыпанное серебряными блестками по кромке открытого лифа. Третье же — черное, траурное, отороченное белыми перьями, — оно и было самым завораживающим и стоило любой увертюры. А длинные накидки к платьям, искусно уложенные драпировщиками, в изнеможении спускались по ступеням до самой воды...

Присутствие жизни восемнадцатого столетия было столь ощутимым, что самыми несуразными и неуместными казались мы с нашими фотоаппаратами.

Зато на соседней площади процветал модный магазин-галерея, где дизайнерскую одежду представляли забавные манекены: вырезанные из фанеры и искусно раскрашенные венецианские дожи в чем мать родила. Вполне исторические лица, о чем свидетельствовали таблички: почтенные старцы Леонардо Лоредано, Франческо Донато, Себастьяно Веньер и Марк Антонио Тривизани стояли в коротких распахнутых туниках и в дамских туфлях на высоких каблуках. Их жилистые ноги и козлиные бородки в сочетании с женской грудью, вероятно, должны были что-то означать и символизировать — не саму ли идею карнавала, стирающего без следа приметы лица и пола?

* * *

— Нет, нет, — повторял Боря, продираясь сквозь вечернее столпотворение на пьяцце Сан-Марко, поминутно оглядываясь — поспеваю ли я за ним. — Нет, это профанация великой темы. И грандиозные деньги, вколоченные в туристический проект.

И в самом деле: умопомрачительное великолепие костюмов встречных дам и кавалеров наводит на мысль о статистах, оплаченных муниципалитетом Венеции. Уж очень дорого обошлись бы такие костюмы обычным туристам, уж слишком охотно персонажи останавливают свой величавый ход и дают стайкам фотографов себя снимать. Они кланяются, садятся в глубоком книксене, трепещут веерами и элегантно отставляют трости, напоказ расправляют плечи и раскрывают медленные объятия…

Мы опоздали к открытию карнавала, к волнующему *Il volo dell'angelo* — «Полету ангела». Правда, в самолете по телевизору мелькнул этот, действительно потрясающий эпизод карнавала: прекрасная ангелица — *a la* лыжник с горной вершины — съезжала на металлическом тросе с высоты колокольни Сан-Марко, и летела, и летела к Палаццо Дукале, а за ней пламенеющим драконом стелился над площадью двенадцатиметровый плащ, сшитый в виде гигантского флага Венеции.

К нашему приезду карнавал уже созрел, как пунцовая гроздь винограда, настоялся на озорной и злой свободе, как хорошее вино, а главное, оброс многолюдными компаниями, что шляются весь день, от одной траттории к другой, или просто колобродят с полудня и до рассвета по улицам, набережным и мостам.

Часам к одиннадцати утра ты оказываешься в тесном окружении знакомых и незнакомых личин и персонажей, в коловращенье масок, полумасок, плащей, накидок, пелерин… Круглощекие «вольто», лукавые «коты», клювоносые «доктора чумы», безликие домино, прекрасные венецианки, коломбины, арлекины, демоны и ангелы; наконец, самые распространенные: зловещие, с подбородками лопатой, с выразительным именем «ларва» — белые маски к черному костюму «баута»… и прочие традиционные персонажи карнавала вперемешку с изумительно сшитыми, действительно *штучными* изысканными нарядами.

Где-то я вычитала, что коренные венецианцы никогда не берут напрокат костюмы в лавках, предлагающих товар приезжим иностранцам. Они комбинируют, подправляют, перешивают старые костюмы персонажей комедии дель арте, что сохраняются в семьях из рода в род, несмотря на то, что современный карнавал возродился не так давно — годах в семидесятых прошлого столетия.

Словом, к полудню ты вовлечен в водоворот сорвавшихся с привязи туристов.

Ты утыкаешься в спины и животы, облаченные в камзолы и платья из шитых золотом парчи, атласа, бархата, гипюра и муара; извиняешься перед гобеленовой жилеткой, шарахаешься от мундиров всех армий и времен (с преобладанием почему-то формы наполеоновской гвардии); перед тобой мелькают пудреные парики, павлиньи перья, ожерелья и кружева, боа и манто, мех горностая, плоенные и гофрированные воротники, красные и синие кушаки…

А уж шляпы — это здесь особый вид низко летающих пернатых: залихватские треухи, широкополые многоэтажные пагоды с цветами и бантами, крошечные прищепки с вуалями и мушками, островерхие шляпы звездочетов, шутовские двурогие колпаки с бубенцами, а также тюрбаны, чалмы, треуголки, фески… И в этой тесноте надо беречь глаза и лбы от тюлевых зонтиков, золоченых тростей, перламутровых лорнетов, мушкетов, шпаг и кривых ятаганов…

Вокруг — кобальт и пурпур, мрачное золото и старое серебро венецианских тканей, леденцовый пересверк цветного стекла, трепет черных и белых вееров, невесомое колыханье желтых, лиловых, лазоревых и винно-красных перьев и опахал.

Если удастся скосить глаза вниз, видишь парад изящнейших туфелек, высоких ботфортов, пряжек и шпор, но и кроссовок тоже, и банальных зимних ботинок и сапог — не у всех достает денег или вкуса для полной экипировки…

На площадях, на центральных улицах расставлены складные столики с коробками и баночками грима; за небольшую плату тебя разукрасят так, что родная мама остолбенеет. За считаные минуты волен ты присоединить

Венецианский дож на карнавале. *2011*

ся к карнавальному большинству. Сначала и я подумывала, не изукраситься ли как-нибудь эдак, но увидев трех разухабистых пожилых дам с нарисованными флагами Италии на дряблых щеках, решила не рисковать.

— Нет, это в былые времена романтика карнавала чего-то стоила, — бубнил мой муж, натыкаясь на барабан, висящий у кого-то на поясе, и извиняясь перед чьей-то спиной. — Демоны Хаоса выходили из подполья... летели все тормоза, все сословные предрассудки. Вихри темной воли закруживали город. И тогда уж ни патриция, ни инквизитора, ни конюха, ни монаха... Ни жены, ни мужа, ни любимого... Воздух был пропитан запахом вендетты! Треуголка на голове, шпага и черный плащ наемного убийцы, безликая «ларва» на лицо — вот она, твоя личная смертельная игра, твой образ небытия, твои призраки ночи в свете факелов... А это вокруг — что? Развлекуха для богатых иностранцев.

Стоит только покружиться часа полтора по пьяцце Сан-Марко и окрестным улицам и площадям — и на тебя накатит особый род карнавального отупения, когда ничто уже не может остановить и задержать хоть на мгновение твой рыщущий взгляд: ни дама с золотой клеткой на голове, в которой две живые зеленые канарейки прыгают и распевают, заглушаемые барабанным боем и гомоном толпы; ни жонглеры на ходулях, ни живые скульптуры на каждом углу; ни ансамбль фламенко, пляшущий на отгороженном рюкзаками пятачке пьяцетты...

Нет, вру: в память врезался мальчик лет двенадцати, худенький даун в черном костюме дворянина со шпагой, но без маски. Он стоял на ступенях какой-то церкви и пристально смотрел вниз на пеструю визжащую толпу. Его типичное для этого синдрома пухловекое сосредоточенное лицо являло поразительный контраст бурлящему вокруг веселью. Он крепко держал за руку маму, тоже одетую в карнавальный костюм, и уголки его губ изредка выдавали тайную улыбку: вот я тоже здесь, я тоже в костюме, я ждал и готовился, и я тут, на карнавале, как все вы...

По ступеням на паперть взбежала хохочущая Коломбина, с намерением повеселить друзей внизу то ли спичем, то ли еще каким-то вывертом, но наткнулась на отрешенный взгляд мальчика и спрыгнула вниз, снова ввинтившись в толпу.

Я тоже встретилась с ним взглядом и замерла: черный ангел, вот кто это был. Черный ангел, посланец строгий, напоминающий: да, карнавал отменяет все ваши обязательства, все условности, все грехи… Веселитесь, братцы. Веселитесь еще, крепче веселитесь! Но я-то здесь, и я вижу, все вижу…

* * *

К концу первого дня перестаешь фотографировать каждого встречного в костюме. На второй день к ряженым привыкаешь так, что именно их начинаешь принимать за коренных венецианцев. Уж очень органичны все эти плюмажи, парики, трости и веера в арках и переходах, на мостиках и каменных кампо, на стремительных гондолах, которые всем своим обликом и самой своей идеей предназначены к перевозке *таких* пассажиров.

И тогда возникает странный перевертыш восприятия: как раз туристы в современной одежде, зрители и ценители карнавального действа, прибывшие сюда со всех концов света, производят диковатое впечатление посланцев чужой, технологически развитой планеты. Вот и движутся бок о бок по улицам и площадям самого странного на земле, прошитого мостками, простеганного каналами нереального города представители двух параллельных цивилизаций.

* * *

Нам повезло даже и в метеорологическом смысле: колючий зимний дождик покропил нас лишь в первое утро. Зато лохмотья тумана чуть не до полудня носились над лагуной, цепляясь за колокольни и купола, как безумные тени Паоло и Франчески.

Мы выходили из отеля еще затемно, когда карнавальная Венеция *уже* засыпала после буйной ночи. Февральский холод немедленно запускал ледяные щупальца за шиворот. Немилосердно стыли руки, глотки тумана оставляли на губах вязкий водорослевый привкус. В тишине спящего города, в рассветной мгле лагуны перекликались только гондольеры, торопящиеся выпить чашку кофе в ближайшем заведении:

— Микеле! Бонжорно, команданте! — голоса глохли в тихом плеске воды...

Безлюдье улиц и набережных на рассвете было само по себе удивительным — в этом городе в дни карнавала, — но в нем-то и заключалась притягательная странность наших прогулок по зыбкому краю ночи. Впрочем, редкие туманные тени то и дело возникали перед нами на мостах, подозрительно юркали в переулок, стыли в парадных и нишах домов.

Однажды из-под моста вынырнула крыса, бросилась в воду и переплыла канал...

В первое же утро (все — в сепии, все являет собой рассветный пепельный дагерротип: арка со ступенями к воде, смутный мостик вдали, черный проем дверей уже открытой церкви, вода цвета зеленой меди, взвесь острых капель на лице) — нас обогнал и проследовал дальше длинный и тонкий господин в норковой шубе до пят. Словно мангуста или еще какой хищный зверек вдруг поднялся на задние лапы, виляя нижней частью туловища, быстро взбежал на мостик и, прежде чем исчезнуть в рассветном сумраке, вдруг обернулся на миг — я схватила Бориса за руку, — в маске мангусты или хорька блеснули черные глазки.

Можно было лишь гадать о ночных похождениях данного хищника.

2

В какой момент мы стали придумывать сюжет для тех двоих — для пары с нашего катера? Когда встретили их в галерее Академии? Да нет, в ту минуту мы лишь переглянулись — надо же, какие бывают невероятные совпадения: в третий раз столкнуться в городе — допустим, это маленькая Венеция, допустим даже — карнавал, то есть бесконечное кружение по одним и тем же улицам, неизбежные пересечения в густом вареве многолюдья... И все же.

В Академию мы попали после утреннего похода на воскресный рыбный рынок. Но еще раньше, выйдя из отеля и понимая, что буквально через час-другой пестрая толпа вывалит на улицы, решили обойти несколько площадей в районе Дорсодуро и Сан-Поло. Мы охотились за окнами исконно византийского кроя и радовались, когда удавалось обнаружить на фасаде какого-нибудь палаццо не замеченную прежде разновидность этого стиля — с навершиями, точно ладони, со сложенными легонько пальцами в характерном жесте индуистского танца, или дружную чету высоких узких окон, похожих на островерхие шапки кочевников.

Тогда Борис выхватывал фотоаппарат и принимался искать нужную точку обзора — отбегал, приближался, закидывая голову, делал помногу снимков.

И вновь сожалел, что среди романтического размаха этой невероятной архитектуры уже не встретишь роковых игрищ средневековых страстей. Полет плюс три ночи в отеле, повторял он, саркастически улыбаясь, — жалкая участь туриста! Даже не знаю, на что ты собираешься нанизать всю эту красоту, говорил; мне-то что — я живопись в каждой подворотне найду. А вот ты? Где сюжет? Сюжет где?! И высоким трагедийным голосом в десятый раз за эти дни читал Вяземского:

> Экипажи — точно гро́бы,
> Кучера — одни гребцы.
> Рядом — грязные трущобы
> И роскошные дворцы.
> Нищеты, великолепья
> Изумительная смесь;
> Злато, мрамор и отрепья:
> Падшей славы скорбь и спесь!

Я огрызалась: не трави, мол, душу. Однако в чем-то он был прав: такие фасады взывали к страстям и драмам отнюдь не туристической температуры.

Между тем в нашей «венецианской котомке» уже было изрядно собрано окон: угловых балконных, трехчастных палладианских, готических, ренессансных, с полуциркульными арками и с арками в форме взметнувшегося пламени; с витыми миниатюрными колонками, разделяющими полукруглых близнецов. Были окна, что стояли в низкой ограде балкончика, точно стакан в подстаканнике. Встречались и парадные, со звонкими витражами в свинцовых переплетах, и таинственные — со стеклами в дутых кругляшах, словно заводи с икринками…

Когда раздвигались складчатые кулисы их ставен — зеленых, темно-голубых или карминных, — казалось, что вот-вот начнется действие. Любому персонажу в окне, любой случайно возникшей там фигуре это придавало восхитительную театральную загадочность.

Во время одной из прогулок мы видели, как в темно-красных кулисах на третьем этаже небольшого палаццо возник молодой человек. Он быстро и раздраженно что-то говорил по телефону, протягивая руку с сигаретой в окно, словно обращался к публике внизу, на площади. Это был весьма пылкий монолог, изумительно оркестрованный интонационно: голос то взлетал в вопросительном броске, то скандировал слова в патетическом утверждении, то бессильно соскальзывал в стонущей просьбе вниз...

Здание явно стояло на ремонте.

— А это подрядчик базарит с поставщиком, — предположил Боря. — Что-то там не завезли, бригада простаивает. Но какая убедительность, какие пластичные жесты, какое византийское величие мизансцен!

И вот первая утренняя «заметка»: на кампо Санта-Мария Формоза о чем-то долго препирается и договаривается группа престарелых американских туристов (возможно, члены ассоциации друзей карнавала) — в помпезных, явно дорогих костюмах дам и кавалеров шестнадцатого века. Затем они долго выстраиваются попарно (дама об руку с кавалером), и наконец, — очень серьезные, даже насупленные, — медленно и торжественно пересекают площадь, в полном молчании шаркая средневековыми туфлями, и удаляются в арку с указателем: «Реальто»...

Мы нырнули туда же, миновали гребенку Реальто, задраенную плотной рябью металлических жалюзи, и оказались на задах Рыбного рынка. Здесь еще были спущены кулисы — синие, красные и зеленые брезентовые полотнища. Но рынок уже проснулся, уже расправлялась его морская душа, его торговые щупальца уже тянулись к самым дальним прилавкам.

По мере разгрузки моторок, барок и барж, что чалятся на ближайшем к рынку канале, по мере того, как солнце все ярче румянит докторские раструбы старинных каминных труб и ополаскивает марганцем жирных голенастых чаек, сидящих на них в ожидании законного завтрака, брезентовые

Весеннее утро. *2008*

кулисы взвиваются и сворачиваются, как цветные паруса, превращаясь в тяжелые бревна перевитых свиных колбас. Зрению зевак, туристов и хозяек предстают интимные внутренности лагуны, разложенные на прилавках в изысканно продуманном порядке, как жемчужные и коралловые нити, браслеты и диадемы в витринах ювелирных лавок.

Черные, как гондолы, раковины мидий, буро-зеленые орешки вонголе, бледные лоскуты камбалы, перламутровые россыпи осьминогов, опаловые коконы креветок, панически растопыренные ладони морских звезд, будто вырезанных из раскрашенного картона, и — неисчислимые ломти рыбной плоти: алые, розовые, лиловые, голубоватые…

И все время от причала к прилавкам снует неугомонная массовка, пронося на головах тяжелые ящики, полные серебристого шелка какой-нибудь макрели.

Тут мы видели одно из самых завораживающих зрелищ карнавала, будто поставленных все тем же вездесущим сценографом Ла Скалы: уже сгрузив товар, на пустой грузовой гондоле стремительно уносились по Гранд-Каналу два рыбака в одинаковых накидках, сшитых из множества треугольных лоскутков, бирюзовых, солнечно-желтых, винно-красных, фиолетовых, черных и белых — какая веселая пестрядь лопотала в той безумной чешуе! Каждый лоскут, как флажок, пришит лишь одной стороной, и трепыхался на ветру, отчего накидка шевелилась на спине, как живая шкура. И два эти цветастых сказочных дракона летели гонцами по Гранд-Каналу, синхронно погружая в воду багры и синхронно выпрямляясь, взрезая ножом гондолы серо-зеленую толщу воды…

…В Академии Борис собирался показать мне только две картины. Он всегда клятвенно уверяет меня, что мы лишь «заскочим на минутку в один зал, бросить взгляд», и всегда мы застреваем там на полдня, после чего, еле передвигая пудовые ноги (как известно, ни один военный поход по изнурительной тяжести не может сравниться с топтанием по залам музеев), я годна лишь на то, чтобы добрести до койки в отеле и надолго обратиться в святые мощи.

На сей раз он торжественно обещал, что речь идет максимум о часе, ну… двух, «вот, смотри — мы буквально пробегаем все первые залы: Карпаччо — на фиг, Беллини — на фиг, Джорджоне и Бассано — свободны навек…

Вот, да, — именно этот зал, по нашей оконной теме… Подойди-ка сюда… Стань по центру, отсюда лучше смотреть. Вот и смотри… и смотри…»

И умолк: кот, добравшийся до сметаны.

Я привыкла. Я даже знаю, сколько нужно помолчать, прежде чем мой муж начнет говорить, объясняя, почему мы стоим именно перед данной картиной. Но на сей раз ничего объяснять ему не пришлось: передо мной развернулась аркада с пиршеством такого размаха, что дух захватывало; сквозь высокие арки мраморной колоннады празднично сияли вдали небо Венеции, розовый камень ее церквей и колоколен, округлые чалмы ее куполов, балконы и балюстрады ее палаццо. А за длинным столом и вокруг него пребывали в кипучем движении знатные патриции и горожане, купцы, карлики и арапчата, и целая гурьба беспокойных расторопных слуг. «Пир в доме Левия» — грандиозное, во всю стену огромной залы полотно кисти Паоло Веронезе.

Будто карнавальная толпа хлынула сюда с пьяццы Сан-Марко и застыла в детской игре «замри!». Во всяком случае, персонажи на картине были одеты в те же костюмы, что и утренняя группа американских туристов на кампо Санта-Мария Формоза. Движение каждого началось минуту назад и в любую минуту было готово продолжиться.

Казалось, можно войти в картину, усесться за стол, налить себе вина, побродить среди колонн, потрепать за щечку девочку на переднем плане. Можно было без конца рассматривать и открывать все новые бытовые детали — например, как идет носом кровь у одного из персонажей…

— Какая сила, а? какая легкость цветовых сочетаний… — проговорил мой художник с явным удовольствием. — Краски прямо звенят, кипят! И ведь ему, в сущности, плевать на историческую основу евангелий: разве это древняя Иудея? Какой там Левий, при чем тут времена Иисуса! Его интересуют только Венеция и венецианцы — их жизнь, быт, одежда.

— Да уж, — заметила я. — Некоторая цветовая э-э-э… отвага в одежде присутствует: тона, прямо скажем, витражные… Такая книжка-раскраска в детском саду. Вон, Иисус — хитон розовый, плащ на плечах темно-зеленый. Воображаю кого-то из моих знакомых в подобном прикиде в общественном городском транспорте, например.

— Ну и что, это были джинсы и блейзеры того времени, — возразил Борис. — Хотя насчет цветовой жизнерадостности ты права — она и вышла ему боком: его вызывали в суд святейшей инквизиции за богохульство — как, мол, посмел в евангельской сцене изображать шутов, карликов, пьяных немцев и прочие непристойности… Между прочим, есть протокол допроса.

— Да что ты! А он?

— Он держался молодцом: а что, говорит, у художника есть те же права, что у поэтов и безумцев…

— Неплохо. А инквизиция в те годы уже не сжигала художников?

— Не помню подробностей, но с Веронезе как-то обошлось. Он много чего еще написал, и везде — праздник, свет, огромные окна или арки в голубое небо. В конце концов, все дело в самоощущении художника. Веронезе всегда стремился вовне, его привлекал внешний мир, выход в него, отсюда и окна, и все эти сквозистые арки… А теперь вот сюда посмотри… — Он взял за плечи и развернул меня лицом к картине на соседней стене. — Совсем иной мир, правда? А жили в одном городе, наверняка хорошо знали друг друга.

Это была «Пьета» Тициана. Классический сюжет — оплакивание Христа. Сцена, как и полагается, мрачная: мертвое тело, окаменевшая в своей скорби Мария, вопящая в пустоту Мария Магдалина и коленопреклоненный старик Никодим, в котором Тициан, говорят, изобразил себя самого.

Да, это не пир. Вот уж где мрачный тупик — глухая ниша в стене, темный камень, полное отсутствие окон или арок; ни воздуха, ни света, ни надежды. Все сумрачно в этой последней картине Тициана.

— Похожа на надгробную плиту…

— Именно. Он и замыслил ее как собственное надгробье в любимой церкви Фрари, мечтал, что его там и похоронят. Но не вышло… Он ведь не закончил картины — ухаживал за больным сыном (была очередная эпидемия чумы), заразился и умер… Так что заканчивал картину его ученик Пальма-Младший, и одному богу известно — сколько там напортачил.

— Какой-то бурый сумрак… — почему-то перейдя на шепот, сказала я.

— Да, краски скрытые, приглушенные, но смотри, какая — в каждом ударе кисти — мощная осязательная пластика!

Он повторил, задумчиво продолжая разглядывать картину:

— Да: невероятная пластическая мощь. В сравнении с нею даже персонажи Веронезе кажутся фанерными… И ведь это писал глубокий старик, изживший все, кроме своего могучего дара!

— Нет, не вижу, — в сомнении пробормотала я, — не понимаю… Будто все под водой.

— Совершенно справедливо. Это — отчаяние человеческого существа, что погружается на дно небытия. Или, если хочешь, судьба Венеции, уходящей под воду. Во всяком случае, о Венеции это говорит мне больше, чем все литературные и исторические…

— А ему было п-п-плевать, что Господь т-т-т-трахнул его жену?

Звонкий молодой голос раскатился по залу, подпрыгивая на согласных. Мы оглянулись, и я тихо пихнула мужа локтем в бок. Вот уж кого совсем не ожидала тут увидеть.

Наши мимолетные попутчики с катера стояли недалеко от нас, перед картиной с очередным поклонением волхвов. Неясно было — что, собственно, они нашли именно в данной картине, являвшей типовую мизансцену этого евангельского эпизода: в красноватой полутьме пещеры — благообразный старик Иосиф, слишком миловидная и ухоженная для хлева Дева Мария над колыбелью с Младенцем, а также овцы, козочка, ослик…

В ответ на резонный вопрос девушки (который, признаться, и меня когда-то мучил) ее плечистый спутник что-то раздраженно и неразборчиво пробормотал.

— И он ей п-п-поверил?! — простодушно настаивала юная дева. — П-поверил, что у них н-н-не было настоящего секса?!

Мы переглянулись и поспешили к выходу из зала.

— Знаешь, что мне напомнили эти любители прекрасного? — сказал мой муж, улыбаясь и ссыпая в кофе сахар из пакетика. — Одну сцену, которую я видел в Русском музее.

Мы сидели неподалеку от моста Академии, за столиком кафе на фондамента Ферро. В двух шагах от нас, у причала вапоретто, на пяти толстенных сине-красных сваях сидели пять толстенных нахохленных чаек — по одной на насесте. Тонкий змеиный ветер штопором закручивал в зеленой воде канала мелкие гребешки пены.

Кофе нам принесла официантка с внушительной корзиной цветов на голове. Непонятно, как она с этим грузом умудрялась обслуживать клиентов, да и просто держать равновесие. При виде нее я вспомнила сразу и ящики с рыбой у торговцев на сегодняшнем рынке, и пожилых узбечек моего детства с тазами, полными яблок, на головах.

— Я оказался там в один из приездов в Питер, где-то в конце семидесятых. Ну и в очередной раз выстаивал перед «Последним днем Помпеи». Как я стою, ты знаешь — пятнадцать, двадцать, сорок минут... Рядом со мною стоит какой-то мужик, по виду — совершенный работяга. Ну совсем уж странный в окружении изящного искусства. Он стоял и как-то ошалело разглядывал всю эту багровую вакханалию Везувия, всю, так сказать, роскошь сюжета — понятно, что живописные и композиционные глупости его не волновали. И вот на какой-нибудь двадцатой минуте этого остолбенения он вдруг широко развел руками и всей грудью выдохнул великую фразу: «Усе попадало!!!»

Я кивнула:

— Бывает, конечно. Шофер-дальнобойщик, выперли его из гостиницы раньше времени за вчерашнюю пьянку. А тут дождь, спрятаться негде, деньги пропил, а билет в музей стоит копейки... Согласись, что эти в зале Академии выглядели примерно таким же образом, несмотря на дорогой прикид.

— А что ты про них знаешь? — усмехнулся Борис. — Может, это члены международной банды грабителей музеев на полевых учениях? Разведка боем, так сказать. Проверка сигнализации, расположения залов и переходов...

— Не годится, — отмахнулась я. — С их ростом? С ее внешностью, с таким звонким заиканием? Их же за версту видать обоих.

Боря внимательно проследил взглядом плавное приземление какой-то морской птицы — то ли чайки, то ли альбатроса — на крышу каюты белого катера и сказал:

— Вот и придумай для них сюжет. Сочини — с какой это стати они в карнавальных костюмах оказались вчера на окраине Венеции? Заблудились? А может, где-то в сыром подвале была у них тайная встреча с главой наркокартеля? И как это их в музей сегодня занесло — шли в казино, ошиблись дверью? И не маши на меня, чего руками-то махать. Мое дело маленькое: ты придумай, а я тебе картинку с ними напишу.

Разговор. *1999*

Сваи у причала набережной торчали вкривь и вкось, как иглы в портновской подушечке. Едва ли не на каждом балконе палаццо, за именем которого лень было лезть в путеводитель, колотились на ветру малиновые с желтым флаги Венеции: крылатый лев, по хозяйски положивший лапу на евангелие от святого Марка.

* * *

Ночью я проснулась от гулких веселых выкриков.

Чертыхаясь, поднялась выпить воды и подошла к окну.

Оживленная компания, не успевшая за ночь растратить силы, возвращалась, надо полагать, с костюмированного бала, какие в период карнавала устраивают для избранных персон дирекции знаменитых палаццо и дорогих ресторанов.

Наше окно выходило на крошечную площадь со старинным колодцем, похожим на могучий, кудрявый от мраморных кружев пень. В глубокой чаше площади золотой — в свете круглых фонарей — туман; еще не вязкий студень *неббии*, но вполне ощутимые клубни холодных паров лагуны. В этом подводном тумане четырьмя резвящимися рыбами плавали двое мужчин в черных треуголках и черных плащах и две женщины, закутанные в белые накидки. Один из мужчин что-то выкрикнул басом по-немецки — дамы дружно и очень заразительно засмеялись. У себя в Ганновере или в Саарбрюкене, подумала я, они в это время видят десятый сон и соблюдают покой соседей…

Компания пересекла площадь и удалилась в низкую арку в дальнем ее краю. И там, внутри, еще похохатывало гулкое эхо ответной женской шутки, потом все звуки проглотил и зачавкал туман.

В этот миг — такое со всеми случается — мне показалось, что я не раз видала этих людей, закутанных в плащи и накидки, ныряющих в эту вот гулкую старую арку; что в другой жизни я, вероятно, здесь родилась, и вид гуляк, под утро бредущих домой, старый колодец в центре площади и томительное эхо поздних голосов в тумане венецианских дворов когда-то были мне привычны и мною любимы, как в нынешнем воплощении любима и привычна испепеленная жарой небесная твердь над Иудейской пустыней…

— Что там, гульба? — сонно пробормотал Борис.

Я легла и сказала вполголоса:

— Насчет тех двоих: это дядя с племянницей…

Он приподнял голову с подушки, молча вглядываясь в темноте в мое лицо.

— Он — азербайджанский нефтяной воротила, — продолжала я шепотом. — Отец девушки недавно умер, мать не в состоянии сладить с дочерью: слишком уж резва. Тогда младший брат отца — а он давно тайно влюблен в племянницу — сбегает с ней в Венецию на три дня. Предлог — сироту надо пристроить в приличный европейский колледж…

— …и заодно потренироваться здесь в английском, — буркнул Борис, снова откидываясь на подушку, — а то азербайджанский им обоим надоел. Слушай, какой колледж в феврале? Нет, это полная чушь, они вовсе не родственники. Он — турок, глава крупной страховой компании. У него в Риме встреча с партнерами. Он берет с собой юную секретаршу и вылетает на три дня раньше, чтобы…

— …чтобы, опять-таки, потренироваться в английском, — подхватила я. — Не годится! У турчанки семеро строгих братьев-мусульман, которые за подобную вольность с сестрой оторвут главе страховой компании яйца. И еще: ни азербайджанский воротила, ни турецкий страховщик не попрутся в галерею Академии, будучи в Венеции в период карнавала.

— Согласен. — Он похмыкал, подумал. — Тогда вот что: мужик — владелец одной из лондонских картинных галерей. Вообще-то он албанец.

— С какой стати?

— Родился таким. Но закончил Кембридж.

— Ах, вот как… Ну а она?

— А ее он как раз подцепил в Риме, в гостинице. Она не совсем проститутка, просто девушка в обслуге отеля. Отсюда приличный английский. Вполне возможно, что она студентка; она фантастически красива, привыкла к ошарашенным взглядам мужчин, на сей раз решила чуток подзаработать: мужик явно богат, обещал хороший отель, шикарный карнавальный костюм, то, се… Причем обещания свои выполнил, хотя надоела она ему уже на второй день знакомства.

— Такая красавица? Вряд ли…

— Тогда не знаю. Видимо, у меня творческий кризис. Вообще я бы еще поспал часик…

3

Мы купили мне полумаску, испещренную нотными знаками, — надо же хотя бы минимально соответствовать игривому буйству карнавальной толпы.

Между прочим, ничего особо веселого в венецианских масках нет: они зловещи. Попробуйте надеть хотя б одну и гляньте на себя в зеркало — вы отшатнетесь. Неподвижность маски придает образу невозмутимость покойника и вызывает в памяти древние ритуалы диких народов. И оно понятно: обстоятельства жизни в те людоедские времена требовали от человека перевоплощения в иную, желательно страшноватую сущность, дабы отпугивать врагов, болезни и смерть. Недаром чуть ли не самой популярной маской в Венеции была «доктор чумы» с ее ужасающим носом-клювом — впрочем, вполне объяснимым: в эпоху опустошительных эпидемий в этот клюв засыпались благовония, якобы уберегавшие врача от заразы.

Как ни странно, наиболее живыми и убедительными ряженые выглядят сзади; так, в теснейшем переулке мы с трудом разминулись с японским самураем в полном боевом облачении; спереди он был смешон, сзади — страшен. В другой раз навстречу нам стремительно шел пилигрим (полы длинного балахона распахивались от быстрого шага, на плече полукруглой скаткой лежал алый плащ). И обернувшись вслед, мы восхитились лаконичной целостностью образа, его уместностью меж темных кирпичных стен, как бы пропитанных ненасытным пурпуром старого вина.

А гондолы, эти странные носатые ладьи, черные грифы лагуны — разве не уместнее всего они в похоронном кортеже, сопровождающем очередного покойника на Сан-Микеле? Разве чуткое воображение человека впечатлительного могут заморочить дурацкие украшения, которыми современные гондольеры привлекают туристов, — вроде золоченых морских коньков и фигурок святого Микеле с флажком Италии в руке? Разве не бросает в дрожь от одного лишь взгляда на расшитые цветным стеклом спинки роскошных кресел, втиснутых в узкие ребра этого скорбного погребального челна?

Кстати, великолепие венецианских витрин с искрящимся водопадом цветного стекла и фарфора, с хороводом масок и костюмов действует на воображение именно своим мощным цветовым напором, избыточностью материала и форм. Но стоит купить за какие-нибудь 15 евро одинокий сувенир, как он немедленно превращается в ширпотреб, словно Золушкина карета — в тыкву. Проверено. И даже изящные украшения из цветного стекла Мурано не играют, не работают, никого не украшают где-нибудь в Бостоне, Калуге или Иерусалиме. Они восхитительны здесь, в этом городе, когда они — часть зачарованной стихии, застывшие капли и гребни адриатической волны, кристаллический образ лагуны, фигуры и монстры потаенных снов.

Так тускнеет извлеченная из воды влажная галька, что минуту назад переливалась золотистыми и фиолетовыми искрами в прозрачной волне. Так умирает жемчуг…

* * *

Вечерами броуновская бестолковщина карнавала сгущалась в заторы с истерическим весельем: то и дело группки ряженых перекрывали улицу или переулок, пока какой-нибудь арлекин или кавалер с торжествующим криком «шайсе!» наконец не одолевал пробку в бутылке шампанского и, страшно гогоча, приставив бутылку к чреслам, не запускал в лиловое небо пенящуюся струю.

Ночной холодный воздух взрывался голубыми залпами электрических шутих — их поминутно пуляли вверх азиатского вида торговцы. На каждом шагу под фонарями ахали петарды, извергая радужный пепел конфетти, и во все концы бескрайней пьяццы мела цветная пурга.

Голубей же на площади — на этой самой большой голубятне мира — в дни карнавала совсем было не видать. Вероятно, это ежегодное мучение они воспринимали как величайшее бедствие, нечто вроде гибели Помпеи.

Кошки тоже прятались от толпы, а вот собачек мы встречали много: некоторые приехали сюда туристами, их прогуливали в дубленках, в цветных тужурках и свитерках. Двух престарелых псов мы видели за стеклом витрин — они дремали на своих ковриках, не реагируя на приставания надоедливых уродов снаружи. Один лишь голову поднял, приоткрыл ленивый глаз: «Ну, живу я тут!..»

Небольшая черная такса привычно и приветливо глядела из гондолы — видимо, хозяин-гондольер всюду возил ее с собой. А на морду еще одной, особенно послушной, юмористы-хозяева нацепили маску кота. И ей-богу, она не выглядела страннее, чем большинство туристов.

По карнизам, над арками, под окнами, в вывесках всех кафе, траттории, остерий — словом, всех едален, которые в Венеции называют общим словом «бакари», — сияли россыпи лампочек-крошек; ими, как блескучей пудрой, присыпаны были голые ветки очень редких деревьев.

Перед окнами кафе и ресторанов движение публики замедляется: хозяева каждого такого заведения для привлечения клиентов нанимают статистов, те усердно позируют. А как не остановиться, как не поглазеть на изобретательно продуманные и виртуозно сшитые костюмы!

В арках Прокураций перед входом в какой-то ресторан стояли два кавалера — один в серебристом, с длинными кудрями, парике, другой в таком же, но белокуром. Камзолы сидели на них, как влитые. Руки в белых перчатках покоились на набалдашниках тростей. Ребята «работали»: почтительно беседуя, медленно подходили к окнам ресторана, протягивали руки, будто указывая друг другу на диво дивное, долго вглядывались в ярко освещенную залу, медленно поворачивались, восхищенно потряхивая буклями парика: приглашали публику припасть и восхититься…

— Да это же «Флориан»! — воскликнула я. — Пойдем, глянем поближе.

Мы протолкались к окнам заведения. Там, внутри, высоченный красавец в костюме кавалера XVIII века, с мушкой на беленой щеке, галантно беседовал с дамами. И уж так хорош, бестия: пудреный парик с косицей, атласные штаны до колен, шитый золотом атласный камзол, туфли с бантами… Он и на окна успевал взгляды бросать, и всем успевал улыбнуться.

— Помещеньице, между прочим, тесноватое, — заметил Боря. — Чем знаменито?

Я рассмеялась, вспомнив давний приезд в Венецию с Евой, на ее восемнадцатилетие: яркий весенний день, звуки прелестной джазовой композиции из открытых дверей какого-то ресторана в аркадах Прокураций. Молодой кудлатый пианист в белоснежной рубашке, с закатанными

Окно карнавала. *2011*

по локоть рукавами, играл на старом фортепиано и пел, и замечательно пел хрипловатым голосом «Georgia on My Mind». Ему подыгрывал скрипач, и скрипач тоже был неплох.

— Чем знаменито? Да просто: первое кафе в Европе, Боря. Легенда Венеции, Боря, восемнадцатый век. Не говоря уж о том, что бывали тут все — от лорда Байрона и Казановы до Бродского. И цены почтенные — такие, что кровь в жилах стынет.

...Это были времена, когда — при всей моей склонности к безответственным тратам — мы все же старались держаться в режиме экономии и каждое утро, перед тем как выйти из пансиона, мастерили с Евой бутерброды на целый день, справедливо полагая, что рестораны нам не по карману. А тут застряли, заслушались — уж очень обаятельно играл и пел кудрявый пианист; голос не сильный, но приятного тембра...

Мам, робко сказала Ева, но это же никакой не ресторан, а кафе, может, даже просто кондитерская. Давай зайдем? Полчаса тут торчим бесплатно, пялимся... как нищие.

Я сдалась. И мы, две прекрасные синьоры, под романтические синкопы лучшей джазовой музыки века торжественно уселись за вынесенный столик и заказали по чашке кофе.

Мягкое солнце покидало площадь, отдавая последнее усталое золото округлым куполам собора Святого Марка. Он стоял в блеске и сини своих мозаик, и золотокрылые ангелы на треугольном фронтоне с обеих сторон без устали восходили и восходили к Евангелисту Марку над золотокрылым львом.

Молодой пианист играл негромко и легко, и последний солнечный луч, шаривший в аркадах, на целых пять минут застрял в смоляных его кудрях. Так и пел он, с этим золотым нимбом над головой. А пожилой скрипач — пузач и коротышка — еле заметно подтанцовывал в такт синкопам и, словно этого было мало, еще и дирижировал мохнатыми бровями...

Мы с царственными улыбками сидели на изящных стульях с гнутыми спинками-вензелями. И пока музыка продолжала кружить над нами в вечернем воздухе, мы помнили, кто мы: две прекрасные синьоры, черт возьми. Я смотрела на Еву и говорила себе, что моя девочка, моя красавица... она заслуживает лучшего, чем чашка кофе в паршивой забеловке; что когда-нибудь, когда я напишу что-то стоящее и заработаю кучу денег, я поведу ее в такое особенное, потрясающее место, где одна только чашка кофе будет стоить...

Наконец музыка смолкла, солнце опустилось за купола собора, погасив разом все мозаики. Искристая смальта, яшма и порфир утонули в глубокой тени. Черные купола и готические башенки собора остались приклеенными на темно-зеленом небе.

Нам принесли счет.

Минуты две мы сидели в полном молчании, не глядя друг на друга. Это был несусветный, бесстыжий, уму непостижимый счет; в нем значилось буквально следующее: «кофе — 2 шт. живая музыка — 2 шт.». И сумма, равная едва ли не половине самолетного билета.

Ева улыбнулась дрожащей улыбкой и предложила:

— Давай скажем, что я глухая!

...И вот это легендарное кафе, сияющее изнутри огнями, сейчас было забито публикой — счастливцами, успевшими войти и занять столики. И верзила-кавалер прогуливался среди изысканно костюмированных мужчин и женщин, склонялся к изящной ручке в длинной перчатке, шептал на ухо пожилой даме что-то такое, отчего та, закинув голову с тяжелой прической, увитой лентами и бисерными нитями, заходилась неслышным голубиным смехом, так что трепетал ее двойной подбородок...

Как и было задумано, отсюда все выглядело театральным действием. И хотя в зале ровным счетом ничего не происходило, просторное окно-сцена, старинный интерьер в кулисах бархатных портьер, разодетые господа внутри, пьющие чай из тонких чашек антикварного фарфора, привлекли внушительную толпу, облепившую окно снаружи так, что мы оказались зажатыми со всех сторон.

— Давай выбираться, — сказал Борис, — что это мы тут, как сельди в бочке.

В эту минуту, бросив последний взгляд на убранство зала, я увидела, как в дверях возник наш знакомец-мавр, он же турок, азербайджанец, главарь банды грабителей музеев и владелец галереи в Лондоне. Ростом он почти был равен нанятому гиганту. Откинутый капюшон плаща лежал у него на плечах, являя контраст загримированного лица и более светлых черепа и шеи. Как будто не успевший отмыться трубочист ввалился туда, куда его не приглашали. Оглядывая зал с недовольным видом, наш мавр пустился в объяснения с пожилым метрдотелем. Тот — старичок в камзоле и парике — сокрушенно разводил руками.

И тут у меня над ухом грянула резкая трель мобильного телефона.

— Т-ты че звонишь! — приглушенно произнес по-русски запинающийся женский голос. — Я т-те сказала: н-не звони! Т-т-ты ж все угробишь!

Я оглянулась, не веря своим ушам. «Дездемона» в серебристой маске, с загнанным выражением в отчаянных зеленых глазах невидяще смотрела перед собой и торопливыми губами неразборчиво — в шуме толпы — что-то говорила в трубку. Кажется, она даже задыхалась от волнения. Я смотрела на нее, не отводя глаз: она была полностью погружена в разговор со своим невидимым собеседником и дважды отерла пот со лба (в этой-то холодрыге!) дрожащей рукой.

А Борис уже выбрался на площадь и махал мне, вызывая из толпы.

— Не п-получается! — вдруг почти выкрикнула она. — Он ч-чуткий, как х-холера! С-совсем почти не спит! — И раздраженно и умоляюще одновременно: — Н-не звони, Боб, опасно, я с-сама выйду на связь... — И еще громче: — Н-нет! Н-не смей! — И низко, придушенно: — Все, идет!!!

Я ликовала. Вот он, сюжет! Вот он, бесценный дар карнавала, вернее, подачка, оброненная в толпе. Но как поднять ее, как незаметно развернуть смятую, перекрученную и затоптанную интригу?

По дороге в отель мы обсуждали новую ситуацию, ахая, восхищаясь, останавливаясь и в азарте хватая друг друга за руки.

— Видишь, — возбужденно говорила я, — а ты заявил, что только в старину, когда карнавал был делом городским, внутриклановым, тут свершалось свое интимное быть-или-не-быть... и что сейчас не бывает смертельных интриг. Вот тебе, пожалуйста: явная афера, возможно, и смертельная — мошенники на охоте за бумажником престарелого фраера!

— Он не такой уж и фраер, — возражал мой муж. — Ты же сама слышала, он чутко спит. Так что коварный план пока не удался.

— Чепуха, — отмахивалась я. — Спит чутко, как все пожилые гипертоники... Черт возьми! А мы за кого только ее не принимали! За турчанку...

— А что, кривой турецкий ятаган свои семена повсюду сеял, в том числе и на ридной Украйне…

— Интересно, что она задумала, миленькая бестия? По-хорошему, надо бы мужика предупредить, знать бы только, в каком отеле они остановились…

— Еще чего! — возмутился Боря. — А вдруг все наоборот? Вдруг девушка спасает кого-то от смертельной опасности? Вдруг она, как Юдифь, кинулась в объятия главаря мафии во имя спасения своего любимого? Нет уж, дай свершиться всем перипетиям комедии дель арте или трагедии Шекспира. Вдруг он ее задушит согласно купленным костюмам?

И за полночь мы, перебивая друг друга, придумывали все новые и новые повороты сюжета. Некоторые, особо удачные, я даже записала — вдруг пригодятся потом, в работе… Заснули поздно, проспали свою третью рассветную стражу, так что, когда вышли из отеля, кое-кто из ранних пташек уже фланировал по улицам: утро оказалось ветреным, солнечно-резким, отчетливым, с синими тенями в глубине арок.

На Сан-Марко за одним из целой флотилии столиков «Флориана» пили кофе и непринужденно болтали две пышно одетые дамы с глубокими декольте, одна — в белокуром, другая в голубом парике. Надо же и статисткам позавтракать…

Обе были из тех, кто вчера сидел внутри, изображая аристократическую публику восемнадцатого столетия. Казалось, они и не уходили на ночь, лишь прихватили свои чашки, переместившись утром на воздух. Возможно, так оно и было, потому что одна из дам широко, совсем не аристократически зевнув, достала из пачки сигарету и закурила.

Возле них кружил толстый турок с огромной чалмой на голове, размером с колесо грузовика, — отпуская, судя по всему, шуточки: после каждой девушки улыбались — одна благосклонно, другая сонно-снисходительно… Потом турок отвалил, а статистка в пудреном парике стала что-то эмоционально рассказывать подруге, поправляя развившийся локон рукой с сигаретой, зажатой между пальцами. Ветер перебирал богатые кружева ее широких рукавов, и зябко было смотреть на роскошное декольте старинного платья, в котором покоились пышные груди, идеально упакованные в корсет.

Ее подруга в голубом парике улыбалась, кивала и улыбалась... и вдруг расплакалась.

И вот тогда над площадью пролетела неуловимая усталость. *Anima allegra* — смеющаяся душа карнавала — истончилась и сникла, она возносилась над нами, испарялась, покидала площадь — так душа возносится над телом: карнавал умирал. Рассеялась туманная взвесь, что накануне окутывала здания, фонари и фонтан. Зимнее утро навело резкость на предметы и лица, и захотелось, чтобы уборщики поскорее подмели надоевший цветной сор конфетти, а уставшие девушки-статистки смогли наконец уйти домой и как следует выспаться...

— Ну что, — спросил Боря, бодро поеживаясь, — куда сегодня двинем?

* * *

После полудня ветер устервился и вовсе перестал миндальничать: встречные дамы, одной рукой придерживая рвущиеся вбок и вверх пышные юбки, а другой контролируя статичность закрепленного шпильками парика или шляпы, быстро исчезали с площади и окрестных улиц. Небо набухало тревожной тяжелой скукой — погода явно менялась к худшему...

Но по набережной Скьявони, как и вчера, и позавчера, упрямо брел человек-оркестр, вернее, человечек-оркестрик.

Каждая часть его тела была приспособлена к извлечению какого-нибудь звука. К спине был привязан огромный круглый барабан с литаврами, и человечек время от времени просто лягал этот барабан пяткой, будто пенделя давал самому себе. Барабан издавал гром и лязг литавр. В руках человечка коротеньким удавом разворачивалась и сворачивалась гармоника; на голове сидел металлический колпак с бубенцами разных размеров и регистров, и когда он эпилептически дергал головой, те звенели, крякали, лопотали и гремели на все лады. Музыкой все это предприятие назвать было трудно, но какофония звуков и чередование ударов вкупе с забавной фигуркой чуть ли не карликового роста очень нравились встречным. Во всяком случае, в жестянку, подвешенную к гармонике, монеты падали не так уж и редко...

Дон-Джованни. Финал. *2010*

* * *

Свой последний в этот приезд обед мы решили отведать в рекомен-
дованной путеводителем остерии неподалеку от Сан-Марко. Автор этого
фундаментального труда подозрительно горячо советовал выбрать в меню
«венецианскую курицу в различных видах и состояниях».

— О'кей, если только курица не в состоянии аффекта…

— «Хозяева по-домашнему приглядывают за посетителями», — продолжала я зачитывать ту же рекомендацию, когда мы уже сели за стол и послушно заказали «полло».

— Еще бы не приглядывать, — резонно заметил мой муж, — мало ли
каких жуликов сюда заносит…

Мы сидели в глубине большого темноватого зала с низкими деревянными потолками и через широкое окно, выходящее на улицу, смотрели на медленно плывущую толпу. И опять окно и французский занав-
вес над ним являли сцену, по которой невидимый главреж гонял туда
и сюда массовку, пока в артистических уборных гримируются актеры
главных ролей.

Как странно, думала я, вчера мы были публикой, смотрящей на сцену
снаружи, сегодня мы — публика, смотрящая на сцену изнутри. Но те, кто
движется там, по улице, точно так же смотрят на нас, в сценический проем
окна. Похоже, каждый в этом городе одновременно и зритель, и актер, вне
зависимости от того, по какую сторону рампы находится…

— Эта их «полло»… — буркнул Боря, уныло догрызая куриную ногу, —
явно была современницей Марко Поло…

Нам давно уже принесли счет, и мы уплатили, но продолжали сидеть,
наблюдая в окно, как ветродуи гонят по сцене мощные струи резкого
воздуха, и не торопились выйти из теплого зала, как публика не торопится выйти из прокуренного зала кинотеатра в ветер и дождь вечерней
улицы.

* * *

Наш чартерный рейс перенесли на два часа ночи. Оставалось еще
какое-то время перед сборами, которое мы могли потратить по свое-

му усмотрению, что по-нашему означало просто шляться по улочкам и вдоль каналов. Если бы погода не портилась так стремительно…

— Может, вернемся в отель? — спросила я, щурясь на ледяном ветру, задувающем с лагуны. Глаза слезились, руки мерзли даже в перчатках, даже заткнутые глубоко в карманы куртки.

Мы перевыполнили «план по окнам»: нащелкали такое количество фотографий, словно сюда нас командировала редакция какого-то архитектурного журнала для сбора материала к толстенному номеру, посвященному исключительно окнам Венеции, а попутно и венецианскому карнавалу.

— Как хочешь… Давай еще прогуляемся на задах Сан-Заккарии, дойдем до Сан-Джорджо деи Гречи? Помнишь, там в витражах ты видела какую-то крылатую хреновину и сказала, что хорошо бы зарисовать?

И мы, подняв воротники курток, натянув на лоб вязаные шапки, то и дело поворачиваясь спиной и пятясь, поплелись под нахрапистым ветром — охота пуще неволи — сначала по набережной вдоль Палаццо Дукале, затем свернули влево и дворами, мостами, каналами, мимо Кампо Бандьера-э-Моро, по калле Пегола пошли в сторону Арсенала.

Видимо, окаянный ветер дожал самых зимнеупорных туристов. Мало кто попадался навстречу. Только завернув на Фондамента ди Фронте, мы едва не столкнулись с двумя туристами в костюмах японских самураев.

Вода в канале поднялась и мутно бурлила у самого края набережной.

— Как бы не затопило, — сказала я. — Нам еще наводнения тут не хватало. — И остановилась: — Может, хорош маскарада, дядя? Тапер устал, и фильма на финале… Нырнем куда-нибудь, согреемся?

— Чуток виски?

— Я бы коньячку…

В это мгновение откуда-то сверху слетел на набережную сдвоенный вопль: протяжный мужской рев и пронзительный женский визг. На третьем этаже отеля по другую сторону канала кто-то рванул дверь на балкон, и с классическим воплем «Спасите!» оттуда вылетела полураздетая женщина. Не очень классическим в этом было только то, что вопила она по-русски. Видимо, переводить на английский не было времени. А может, уже не было в этом нужды.

— О боже, — выдохнул Боря. — Опять эти?! Не верю! Так не бывает…

— Разве только в жизни, — отозвалась я.

Мы стояли, задрав головы к балкончику. Такого романтического углового балкона — с высоким двойным окном, осененным ажурными, в форме бутонов, розетками, — в нашей коллекции еще не было. Их легкость и хрупкое изящество так были гармоничны с белизной обнаженных женских рук. Странно, что отсюда девушка вовсе не казалась смуглой: темный кирпич стены служил контрастом к телу.

— Не смей подходить!!! — завизжала она кому-то в глубину комнаты, вытянув вперед руки. — Не приближайся ко мне!!!

Самое удивительное, что и заикаться она перестала. Позже, обсуждая это с Борисом, мы так и не пришли к согласию — почему? То ли стресс выправляет дикцию, то ли заикание было деталью образа.

Мужской голос в ярости проорал из комнаты:

— Я ташкентский грэк, сука, по́няла?! Аферистка!!! Я — ташкентский грэк!

Видимо, Боб позвонил-таки не вовремя, мелькнуло у меня. А я-то хороша: албанец, азербайджанец, турок… Как можно было не узнать эти характерные черты, эту походку и повадку, эту сутуловатую плечевую мощь закоренелой шпаны из Греческого городка, столь знакомые мне с детства!

Между тем девушка вжалась в перила балкончика и вопила не переставая, отбиваясь и уворачиваясь от мужских рук, что пытались втащить ее в комнату.

Двое туристов в костюмах японских самураев, успевшие удалиться на приличное расстояние, вернулись, услышав вопли. Они что-то быстро взволнованно говорили по-английски, обращаясь к нам (я не понимала их английский), и когда для удобства сняли маски, оказались — как в дурном сне — как раз японцами, мужчиной и женщиной неопределенного возраста. Что само по себе привело меня в оторопь: приехать на венецианский карнавал, чтобы вырядиться собой? Японцы возмущенно лопотали на не опознанном мною английском, а Борис сказал:

— Ну что, бежать-кричать? Где вход в отель — с той улицы?

— Постой… Тут иначе надо.

— Но он ее убьет к чертовой матери! Или она со страху с балкона сиганет.

— Да погоди ты! — отмахнулась я и, напрягши глотку на холодном ветру, с зычной оттяжкой гаркнула вверх, вспоминая манеру шпаны из Греческого городка, будто не прошло сорока лет с того времени: — Чува-ак!!! Щас милиция зову, да-а?! Слышь, чувак! Милиция хо-очешь?!

Там наступила тишина. Дверь на балкон с треском захлопнулась, и одновременно по мостовой застучали каблуки японцев — то ли они помчались разыскивать администратора отеля, то ли просто испугались моего выступления.

— Ты с ума сошла? — спросил муж, разглядывая меня, однако, с новым уважительным интересом. — Какая здесь милиция! Ее уже и в Москве нет.

— Отстань, — пробормотала я севшим голосом. — В Москве нет, а у нас в Греческом городке есть…

Минуты три уже сверху летела какая-то труха, словно где-то на лесах над нами рабочие приступили к оштукатуриванию здания. Мы стояли, задрав головы, бездумно смахивая с лиц надоедливую белую труху, пока не поняли, что это снег начался. Снег в Венеции!

А девушка продолжала стоять на балконе, прижавшись спиной к перилам…

То, как колотил ее озноб, видно было даже отсюда, с мостовой. Она вздрагивала, мелко трясла головой и как-то жалко и жутко нам сверху улыбалась, обеими руками придерживая на груди рубашку судорожным, душу выворачивающим жестом.

— Усе попадало… — сказал Боря с жалостью.

А я думала: вот он, мой сюжет… Мой неузнанный, неразгаданный *авантюрный сюжет* — стоит раздетым на холоде, и нет никакой надежды, да и просто времени нет извлечь его из чрева жизни, растормошить, растопить, «вдохнуть дыхание в ноздри ея»; развернуть-раскатать, прощупать-подивиться золотым колечкам еще одной судьбы…

И безнадежно все, и ничегошеньки не узнать — что там между ними было, с чего началось, что их прибило-то друг к другу? И как же крутит, мнет и формует заново наших людей чужая жизнь, как же она выворачивает, перелицовывает наши лица в непроницаемые личины, если эти двое могли не учуять один другого в первую же минуту знакомства!

Так кто же ты, маска, думала я, и в какой Полтаве, в каком Кременчуге у тебя осталась мама или ребенок, или оба они, мама с ребенком, — что ты любыми путями должна заработать и послать им денег? Или ни мамы, ни ребенка, а просто занесло беспросветным ветром в такую темную карнавальную жуть, что и опомниться страшно?

А может, и хорошо, что ты остаешься тайной: разве не тайна, в конце концов, — главное условие карнавала, его «смеющаяся душа», безумие опустошенности, его забытье — репетиция небытия?..

Я натянула шапку чуть не по самые брови и одеревеневшими от холода губами пробормотала мужу:

— Вот теперь пошли. Они разберутся. А я совсем задубела...

* * *

Под вечер снег повалил крупными зернистыми хлопьями, которые под порывами ветра сбивались в кучи и нервной толпой кидались из стороны в сторону, будто места себе не находя. Часа через три величественный простор Сан-Марко был устлан белой молодой пеленой, а снег все летел и летел, заштриховывая собор и колокольню, выдувая с площади прохожих, выметая их из-за колонн и аркад.

В конце концов все растеклись и осели по барам да по домам, временным и постоянным.

Мы тоже вернулись в отель, чтобы собрать чемодан и поспеть на катер. Когда вышли, уже стемнело...

По площади в сторону Палаццо Дукале в туманной белой круговерти удалялись две мужские фигуры в черных треуголках и черных плащах. Они энергично шагали, придерживая шпаги на боку, и ветер рвал их плащи — живые черные крылья на застывшей белизне.

— Карабинеры, — сказал Борис. — Смена караула.

Чугунные канделябры фонарей, уснувшие белые гондолы, черные штрихи свай у причала и крылатый убеленный лев на колонне выглядели завершением карнавала, неизбежным возвращением в черно-белое пространство зимы, торжеством графики после бурлеска живописи и цвета.

А дальше — репетицией небытия — клубилась, вспухала гигантской каракатицей ненасытная *неббиа*, в чьей рыхлой и влажной плоти застряла заноза колокольни Сан-Джорджо Маджоре. И двойная цепочка черных следов уводила взгляд к границе набережной, что лежала широким белым подоконником лагуны — гигантского окна в Адриатику, погруженную в черно-белый сон веницейской зимы…

Иерусалим, август 2011

Бах. Сочинение Си-минор. *2007*

В Сан-Серге туман…

Тане Флейшман

Леню он не узнал.

Вернее, узнал, конечно, — сутулость эту, птичью манеру закидывать голову, всматриваясь в людей и предметы. Так один человек узнает другого, близкого по юности, по общим молодым фотографиям… Конечно, узнал. Но испугался, что и сам, наверное, так же изменился. Не виделись лет восемь, и ему подумалось, что как раз эта плюс-минус десятка на дистанции от «парня» к «деду» становится роковой для облика мужчины.

Собственно, по телефону он уговаривал друга не беспокоиться — мол, как-нибудь сам доберусь, видал я ваши европы. Для того и машину арендовал. Но когда Леня выяснил, что машину Михаилу придется брать на французской стороне аэропорта (на дешевизну повелся, у французов снять выходило дешевле, чем у швейцарцев), — он встревожился и заявил, что приедет встретить непременно: ты заплутаешь, там полно заморочек, в этом аэропорту, поделенном на зоны.

Далее все, как водится: обнялись, поцеловались, охлопали друг другу плечи и спины:

— Полысел, старый хрен!

— А ты поседел, ваше святейшество, но живота, смотрю, нет…

— Пригляды́сь хорошенько…

Затем хитрые переходы между зонами, невозмутимые таможенники, неторопливые чиновники и новенький черный «Рено», к которому они еще пилили с километр по бескрайней подземной автостоянке — нормальная бестолковщина первого дня путешествия…

Если б то было действительно путешествие, а не бегство от себя самого, не разбери куда. Барахтаясь в страшной тоске последних недель, он наобум набрал Ленин телефон, услышал голос, и — оба вдруг взволновались, обрадовались друг другу, про-

говорили минут сорок и так возжаждали встречи, что наутро он взял билет и через день вылетел. И уже в самолете стал тяготиться — собой, собой. Только собой...

Наконец, двинулись эскортом: он — за серебристым Лениным «Пежо», боясь отстать, напряженным взглядом держа заветный номер впереди. Впрочем, Леня вовремя притормаживал, если кто-то обгонял «Рено» или светофор обрубал их невидимую связку, и они опять чинно плыли двумя уточками по автостраде, вдоль которой солнечными шапками то и дело вспыхивали желтые кусты форзиции. Да и дороги было всего ничего. Жил Леня в Мейране, пригороде Женевы, где снимали квартиры многие сотрудники ЦЕРНа.

Уже вовсю цвела магнолия. Здесь, как и по всей Европе, это были мощные плечистые деревья, усыпанные охапками бело-розовых цветов. Одно такое росло прямо перед подъездом Лениного трехэтажного дома. Близость природы — парков, лесов и озера — чувствовалась на каждом шагу, и всюду природа была очеловечена, даже слишком: ветви платанов зачемто обрубали, придавая им причудливую форму, и рослые красавцы стояли, раскорячив мозолистые обрубки ветвей.

Такая же огромная магнолия росла у Лени перед балконом, на который из гостиной выходила стеклянная — от пола до потолка — дверь, сама бывшая частью панорамного окна во всю стену. И эта пышная, как зефир, крона магнолии служила боковой кулисой к заднику поистине сказочному: ближние, поросшие лесом, холмы уплывали к голубоватой гряде заснеженных гор.

— Какие окна у тебя просторные, — сказал он, чтобы хоть что-то нейтральное произнести, не про Лиду, не теребить больное. Хотя и понимал, что рано или поздно разговор о Ленином горе непременно зайдет. — Хорошо! Света много.

— Да, — сказал Леня просто. — И Лида любила, когда уже... в кресле... Подвозил ее вот сюда. Видишь, как за крышами холмы золотятся на закате. А утром, если солнце, — снег розовый на горах, как...

Он вдруг махнул рукой и заплакал. И отвернулся. Плечи тряслись, обеими ладонями он отирал щеки и подбородок.

— Извини, — проговорил как-то по-детски звонко. — Вот странно: полгода прошло, но… это всегда со мной почему-то бывает с новым человеком… То есть не новым, а…

— Я понимаю, — торопливо перебил Михаил.

За ужином Леня подробно и даже вдохновенно рассказывал о болезни жены: первая операция, удаление почки, метастазы, вторая операция… слишком обстоятельно, ненужно, неинтересно. Тяжело…

Они сидели на кухне — тоже просторной и со вкусом обставленной очень яркой, контрастной мебелью: красный буфет, красные стулья, черные полки на стенах. Во всем чувствовалась Лидина рука архитектора.

Он вздохнул и проговорил:

— Да… рано Лида ушла.

Лидка была смешливой задрыгой, его сокурсницей по МАРХИ. Не Афродита, нет (правда, волосы красивые — блестящие, с желтизной, цвета ириски; потом она их красила в сдержанно-русый цвет, и зря: пропал весь шарм, весь *интерес* пропал), — но энергии, выдумки, задора в ней было на всю команду КВН. И всегда наготове какие-то стишки, анекдоты, забавные песенки, поговорки: «Если будешь сильно деловая, функция ослабнет половая…».

(Кстати, *о функции*: на первом курсе, помнится, у них с Лидкой даже наметился романчик, но вскоре появилась *она*, и уже ни для кого в его жизни места не осталось.)

— Ну а ты что? — спросил Леня. Ну что ж, и этот миг должен был наконец наступить. — Вы-то что, идиоты? С чего это вдруг взбрендило такое! А, Мишка?

Тот усмехнулся и нервно ответил:

— Брось! Разбежались и разбежались. Как тысячи других пар. Не о чем рассказывать.

И сам себе мысленно возразил: нет, почему же — не о чем! Очень даже есть о чем. Сюжет для средней руки водевиля. Ты расскажи, расскажи. Вот возьми и расскажи, при каких занятных обстоятельствах современный муж узнает, что жена много лет ему изменяет. Ты расскажи — а Ленька обхохочется, — как в один прекрасный день раздается звонок на мобильный, и, увидев на экранчике родимое «Ириша», ты нажимаешь кнопку и… Давай, поведай в деталях, как прослушал всю эротическую сцену до победного, так сказать, и очень бурного финала — в страстных объятиях *она*, судя по всему, не ощутила, что мобильник закатился под спину, кнопка нажалась нечаянно, и — вот они, чудеса высоких технологий: постельная сцена в живом эфире, *эксклюзив для далекого мужа*... Тут что самое поучительное: что вся эта *роковая*, как сама *она* выразилась в их последнем пошлейшем объяснении, *любовь* родилась и длилась, оказывается, в те годы, когда шла безумная борьба за Костика, когда их единственный сын обнаруживался — в ломке или обдолбанный — то в отделении милиции, то в грязном туалете на вокзале, то в какой-нибудь канаве...

Словно бы услышав эти мысли — а может, и правда горе так обостряет чувства? — Леня спросил:

— А Костик-то? Выкарабкался?

— Ничего, слава богу, — охотно отозвался Михаил. — Год уже чистый, поступил на исторический в РГГУ. Другим человеком стал... — И, помолчав, добавил: — Девочка у него хорошая, знаешь, в этом все дело: маленькая такая, конопатенькая... очень сильная!

— Ну, дай бог, — вздохнул Леня. — Женщина в этом деле...

И опять отвернулся к окну, за которым золотыми шарами светили во дворе фонари. Его поредевшие волосы вились на шее запущенными седыми кудряшками.

— Ленька, тебе постричься надо, — проговорил Михаил, отвлекая друга. — У тебя на шее колечки, как у Анны Карениной.

Тот хмыкнул и сказал:

— Да, знаю. Для меня это такая морока. Меня ж всегда Лида стригла, у нее золотые руки! Никто не верил, что я стригусь дома, а не у самого модного парикмахера...

Знаем-знаем... Она усаживала тебя, голого, на низкую табуретку в ванной, обвязывала тебе шею и грудь старой простыней и покрикивала: «Сиди ровно, балбес, а то чикану не то, что надо!» Но ты, презирая опасность и оставаясь неподвижным в торсе, все же умудрялся щекотать ей ногу под коленкой, куда доставала рука, — так что вся торжественная процедура превращалась в черт-те что: она визжала, ругалась, щелкала ножницами, хохотала... и напоследок, обмахнув той же простыней твою шею, отправляла тебя в душевую кабину звонким шлепком по голой заднице...

А знаешь, друг Ленька, почему я могу легко описать всю эту сцену? Потому что меня стригли точно так же двадцать пять лет.

— Завтра сам погуляешь по центру, — сказал Леня, доливая ему чаю из стильного красного чайника. — Озеро, Старый город, собор... ну и вообще, — найдешь, что смотреть. А послезавтра — воскресенье, в горы поедем, в Сан-Серг.

— Что это — Сан-Серг?

— Да ничего, местечко такое в горах... Показать хочу.

— А...

— Помнишь книгу нашей юности — «Зима в горах» Уэйна? — живо спросил Леня. — Кстати, нигде ее не встречал с тех пор, а с удовольствием бы перечитал...

— Что-то помню, смутно... Там герой едет в горы в Уэльс? Одинок, в поисках кого бы трахнуть...

— Ну, в общем, да... Цепляется к каждой юбке и вдруг встречает любовь. Но главное там: горы, серпантин дороги, туман и железная печка, которую топят углем...

— И классовая борьба, помнится, — подхватил Михаил, припоминая фабулу книги, о которой не думал лет тридцать, но сейчас вдруг завелся от одного этого слова, от этого ненавистного слова «любовь», которое за последний месяц ему пришлось так часто слышать. — Одинокий горбун со своим автобусом против крупной транспортной корпорации... Такая левая антиглобалистская бодяга, да?

— Вот-вот. Если где увидишь — купи мне, ладно?

— Если не забуду... Давай укладываться, что ли. Я после самолета всегда еле ноги таскаю.

— Это сосуды! — встрепенулся Леня, и он, опасаясь, как бы друг опять не въехал в медицинскую тему, грубовато ответил:

— Да не сосуды, а бабы давно нет.

Постелил ему Леня в кабинете Лиды. Когда вначале он сказал «в кабинете», Михаил подумал, что это так, фигура речи. Ну какой там кабинет — Лидка и в лучшие-то времена была не слишком обуяна профессиональными амбициями. Но комната оказалась именно кабинетом: большой письменный стол с компьютером, удобное рабочее кресло, над столом — доска с прикнопленными документами и набросками. И широкая тахта у противоположной стены. Выходит, Ленька из той категории скорбящих вдовцов, кто после смерти жены даже мухе не дает сесть на карандаш, коего касалась любимая рука.

Перехватив его удивленный взгляд, Леня сказал:

— Да, знаешь, у Лиды здесь были заказы. А в последние годы она буквально воспрянула: спроектировала несколько частных вилл. Понимаешь, эти наши нувориши ищут как раз такое: и чтоб «здешнее», это для них знак качества, и в то же время чтоб свое, понятное, по-русски. Ну и МАРХИ для них — не пустой звук.

Стоя у Лидиного стола, поговорили еще о его, Михаила, работе, о знакомых, о друзьях молодости. Он не хотел прерывать друга, но с нетерпением ждал, когда за Леней закроется дверь. Думал, что ухнет в сон, не успев раздеться. Но разделся и лег, покрутился еще на тахте, листая местный бюллетень с программой выступления каких-то русских бардов (имена незнакомые, видимо, молодежь, а он давно перестал следить за всей этой *поющей совестью России*)…

Наконец выключил лампу.

И выплыло окно над столом, за которым горбились и пугали культями калеки-платаны. Бессознательно (профессиональное) он отметил соотношение размеров стола и окна, представил, как Лида сидела тут, подняв голову от чертежа и глядя в уютное пространство обжитого мира в окне, где даже платаны введены в общие городские нормы.

Черт-те что, мелькнуло у него, — до чего же смерть досадная: тут, среди такого покоя и порядка, и, главное, в тихом океане вечной Ленькиной любви… Вот, на первый взгляд, стряслись у него и у Лени такие разные беды. Очень разные, подумал он, а суть-то одна: суть в том, что четверть века ты укладывался спать, и справа от тебя была она. И вот — нет ее, нет ее. Нет ее…

Господи, как наловчиться обрубать все эти проклятые мысли, все сцены из прошлой жизни? как травить этих гадов ползучих в тот момент, когда они возникают? — вот сейчас, вслед за мыслью о Лене и Лиде немедленно всплыла *она* на платформе пригородной электрички, гасящая свою антиастматическую сигарету о подошву туфли. Спрятала окурок в пачку (пепельная прядь завесила щеку), воскликнула:

Окно Рембрандта. *1995*

— Видишь, как я экономлю твои деньги, жила!

Он даже мысленно не произносил *ее* имя. Ему казалось, если он назовет *ее* так, как называл двадцать пять лет, то дрогнет вся кропотливо возведенная им за последний месяц плотина, и тогда невыносимая боль хлынет и затопит, и размоет, разнесет в клочья саму его личность... Главное же: гнать, затаптывать в себе ту сцену последнего суховатого объяснения (вновь — сигарета, прядь, упавшая на лоб, свежий маникюр на любимых пальцах. Костик унаследовал материнские руки, слишком изящные и нервные для мужчины, и — вот уж что можно сейчас вспоминать спокойно: когда в очередной раз сын пропал на неделю и Михаила вызвонили опознать в морге тело какого-то бродяги с обезображенным изрезанным лицом, он сдавленным голосом попросил старшину открыть руки покойника: их он узнал бы в любом состоянии).

Его сестра Люба единственная была посвящена *в сюжет*; сама опытный врач, настаивала на консультации с психологом. Считала, сам он не справится. «Пойми, — уговаривала, — все мы в этой безумной жизни нуждаемся в костылях. Погляди в зеркало: ты за три недели скелетом стал!»

С Любой, которая была много старше, вырастила его и до сих пор любила, как своего ребенка, тоже надо было держать ухо востро. Начиная разговор с разумной деловой интонации, она мало-помалу заводилась, вспоминала всю унизительную подоплеку их разрыва, начинала плакать и часто впадала в настоящую истерику, приговаривая: «Мерзавка, мерзавка!!! Что она думает — что этот аспирант паршивый останется с ней до смерти?! Восемнадцать лет разницы!»

«Перестань!» — кричал он сестре. Даже смешно: за годы семейной жизни он настолько привык чувствовать себя частью жены, даже ее принадлежностью, что и эту ситуацию, и этот, как говорила Люба, «позор и кошмар», этот фарс, эту грязь ощущал как собственную вину, которой надо стыдиться. И стыдился! И когда сестра принималась плакать, горько жалея брата и проклиная «предательницу» («Она поплатится за все, за все! он вышвырнет ее очень скоро, и никому она не будет нужна!»), терялся и виновато бубнил: «Люба, прошу тебя... прошу тебя...»

Идее *евангелия от психолога* он внутренне яростно противился. Таблетки — ладно, пусть, чтоб засыпать нормально. Все остальное — вздор! Как представишь эту *консультацию-ковырялку*: «И что вы почувствовали в тот момент, когда…» Вздор. Вздор! Просто: забыть. Пройдет месяцок-второй, сказал он себе, успокоишься, найдешь другую бабу… И после сих успокоительных слов уже привычно ощутил ножевой удар в солнечное сплетение и с обреченной ясностью понял, что никакой другой бабы никогда у него не будет; что жизнь кончена, и прекрасно, и плевать.

Так и ворочался всю ночь, пялясь в желтовато-серый квадрат окна…

Уснул на рассвете, уже и небо растаяло и растеклось сливочной лужей, и птицы разговорились-разохались… Проспал Ленькину хлопотливую заботу: тот выбегал в соседнюю булочную, оставил для него на столе завтрак: еще теплые круассаны, масло, сыр, сливки, а также письменный приказ не лениться, а сварить себе кофе.

Он и сварил, и обстоятельно позавтракал, счастливый этим спокойным одиночеством в чужом безопасном доме, хоть и заполненном недавней бедой, но бедой человечной, теплой, любовной…

В своей записке Леня подробным рисунком (линии, стрелочки, номер автобуса обведен кружком) объяснил, как доехать до центра. Выходило, что и машина не нужна — автобус идет прямо к озеру.

На листке лежали, придавливая бумагу, несколько местных монет — Ленька, друг, все предусмотрел. Видимо, обменные пункты были только в городе.

Он оделся и вышел, аккуратно заперев за собою дверь, уже на улице пожалев, что оставил шарф, — свежий мартовский ветер принялся трепать по щекам и хозяйски ощупывать шею. Но возвращаться не хотелось. Он миновал большой квадрат двора, свободно засаженный укрощенными платанами, отыскал остановку и чинно поднялся в подкативший автобус.

Здесь была представлена вся этническая пестрота общества. Черная няня везла куда-то семилетнего рыженького мальчика, два молодых азиата сидели, уткнувшись в какие-то конспекты, две мусульманские женщины в длинных балахонах и косынках на головах тарахтели о чем-то на своем языке, а у дверей, приготовившись выйти на следующей остановке, тихо переговаривались между собой пожилые русские супруги.

Вот есть же где-то разумная внятная жизнь, думал он, разглядывая пассажиров автобуса, есть же уважение к законам, к государству, к личности…

И сам автобус плыл как-то размеренно, уважительно, разматывая заоконное пространство с заурядными, но чистыми и приятными домами, с неширокой рекой, берега которой заросли все теми же кустами солнечножелтой форзиции, с красивым парком на холме.

Наконец автобус выехал на мост, и слева мощно развернулось озеро — еще бледное, в утренней дымке.

Он сошел на конечной и мимо огромной цветочной клумбы, посреди которой были вмонтированы часовая и минутная стрелки (клумба оказалась знаменитыми цветочными часами, о чем потом он вычитал в подсунутом Леней путеводителе), вышел к набережной, где, пошевеливая боками, тесными рядами стояли на воде разноцветные парусники; целый лес голых мачт.

Он шел вдоль ровно высаженных пятнистых платанов и бесконечного, насколько хватало взгляда, ряда обстоятельных бюргерских домов, судя по непременным мансардам — доходных. Шел, вдыхая свежий озерный воздух, украдкой радуясь своему *приличному* настроению, тому, что впервые за этот месяц получается спокойно отметать мысли о прошлом, о ней, о вине, о позоре, о всей непоправимой жизни и о том ударе в грудь, который ощутил он, когда понял, что она не разыгрывает его по телефону, а это вот сейчас, в эти вот минуты и происходит…

И едва вспомнил — вспыхнуло, обожгло, навалилось, стало сжимать и ломить сердце… пришлось срочно гасить фонтан боли, к чему за последний месяц он привык, приспособил разные внутренние механизмы. Лучше всего *работал* грубый окрик: заткнись, хватит, прекрати, все!!!

А вот и фонтан. Над гладью озера торчал водяной прут невероятной высоты и силы. Взмывал из глубины, словно там, на дне, пробило дыру в земной коре, так что струя земной боли выхлестывала над поверхностью воды…

Неорганично, думал он, любуясь жемчужно-розовым глянцем водного простора; эта вертикаль разбивает мягкую линию гор, плоскость озера. Торчит такая пульсирующая дура посреди воды…

Но когда часа через полтора он возвращался по набережной мимо зимующих парусников и павильонов летних кафе, под внезапным солнцем в струе фонтана заиграла чудесная сквозистая радуга…

Женева показалась ему размеренной, уютной, скучноватой. Озеро, конечно: оно придавало всему вокруг тот особый голубоватый простор, что витает над водной гладью, одушевляя холмистые берега и любые на них строения.

Он исходил все улочки, все площади средневекового центра, собирался зайти в кафедральный собор Сан-Пьер — Леня вчера говорил что-то о витражах, — но не зашел, потому что проголодался. Выбрал явно дорогой приозерный ресторан, где на его вопрос — что бы взять из местной кухни — невозмутимый, но предупредительный официант посоветовал заказать «филе де перш» — блюдо из наших окуньков, мсье, визитная карточка Женевы.

Ну что ж, сказал он себе, вот ты и путешествуешь один, без *нее*. И не пропал, черт побери, не сгинул.

А ведь сколько их было за двадцать пять лет — этих счастливых странствий, с азартом продуманных *ею* до мельчайших деталей, когда в Интернете вызнавались даже номера и время отправления раздолбанных местных колымаг на каком-нибудь маршруте Ванс — Экс-ан-Прованс... Ну, хватит! Сказано тебе: хватит!!!

Ага, вот и окуньки. Выглядят прилично, а как там на вкус? М-м-м, ничего, годятся вполне. Но мы на Истре ловили и жарили повкуснее...

На Истре у них была дача. Небольшой дом в два этажа, четыре комнаты — купленный в начале двухтысячных, когда у него вдруг в работе *попёрло*: проекты, знакомства, деньги.

Она *была на даче с этим аспирантом (ну да, роковая любовь!), как раз в те жуткие три дня, когда я разыскивал Костика по всем вокзалам, больницам и моргам — ничего ей не сообщая, оберегая ее спокойствие... Хорошо, что аспиранта я в глаза не видел, — да и черт с ним, аспирант ни при чем, просто...*

Из-под руки возник официант с невыносимым ритуальным «все ли о'кей?». Терпеть не мог этого назойливого обычая в дорогих ресторанах. Подал-принес — отвали, дай спокойно прожевать ваших окуньков, оставаясь наедине с собой, с аспирантом и с *нею*...

— Все хорошо, благодарю вас, — сказал он, вежливо оскаляясь. — Счет, пожалуйста.

* * *

В воскресенье за завтраком Леня сокрушался, что небо в войлоке — значит, в горах, куда он собирался везти друга, может быть обложной туман.

— Какого ж хрена туда тащиться? — спросил Михаил. — Наверняка есть какие-нибудь приозерные туристические городки…

Леня смутился, забормотал что-то о «непередаваемой атмосфере»… Наконец проговорил:

— А мы там, знаешь, первые пять лет жили. И тоже — печка у нас была, топили брикетами, считали затраты. Я только начал работать в ЦЕРНе, мы бедными были. За окном — снег на вершинах, по воскресеньям — колокольный звон из церкви… И Генри был жив. Помнишь Генри?

— А как же, — отозвался он. Генри был на редкость сварливой, донельзя избалованной, как только в бездетных семьях бывает, шавкой — небольшим пуделем, в молодости белым, в старости побуревшим. Прожил невероятную мафусаилову жизнь — чуть ли не четверть века. Помнится, когда он мирно отправился к собачьим праотцам, Ленька написал письмо, исполненное трогательного горя. Да-да, и пришло оно в самый отчаянный период борьбы за Костика — в период полной безнадеги. Впрочем, у каждого свои беды. И вот, своим чередом, к его другу пришла беда настоящая.

Ага, ясно — Леньке важно поехать в эту глухомань, и даже ясно почему: повод вновь говорить и говорить о Лиде.

Ладно, сказал он себе, осмотришь красоты швейцарских гор. И бодро воскликнул:

— Так что тут рассуждать? Едем, конечно!

И Леня обрадовался, стал оживленно объяснять, какое это дивное место, между прочим — курортное, какие там лыжные трассы и как в сезон нет отбоя от лыжников…

Он вознамерился ехать в съемной машине — для чего-то же снял ее, идиот, вопреки уговорам друга! Неистребимая привычка бывалого путешественника: свои колеса в пути важнее всего. Настоял, что поведет сам, хотя Леня возражал: дорога сложная, горная, снег еще не везде сошел…

На балконе. *2008*

Он воскликнул насмешливо:

— Ленька! А ну, стоять смирно перед полковником! Ты на Сицилии ездил? То-то же…

На Сицилии, между прочим, за рулем в основном была она. И в хорошей реакции ей не откажешь. А в чем, собственно, ты ей откажешь? — спросил он сам себя. — Нет, реакция что надо. Вспомни, как она глянула в упор, наотмашь, когда ты открыл дверь и молча стал на пороге, не пропуская ее в дом… Вспомни, какие глаза у нее были — самоубийственно светлые, молодые, отважные. Как сказала она, усмехнувшись:

— *Что ж, и не поговорим?*

Хватит! Заткнись! Едем, едем в горы по следам супружеского счастья Лени и Лиды, и пусть тень Генри сопровождает нас на этом пути.

В отличие от вчерашнего прозрачного дня небо сегодня распирало от взбитых сливок, будто там, наверху сумасшедший кондитер в белом колпаке все наслаивал и наслаивал крем поверх глазури, и эти фигуры и башни растекались, беспрерывно меняя форму и вскипая бесшумными взрывами.

А по низу, по травянистой шкуре холмов ползли их шевелящиеся тени, похожие на гигантских котов в охоте за солнечным лучом. Когда луч вырывался на свободу, поджигая золотым огнем черепицу крыш, он сразу бывал настигнут и прихлопнут белой пушистой лапой.

Веселой яичницей вдоль шоссе растекались поля, засаженные рапсом.

Шоссе было спокойным, пустынным, до гор еще ехать минут тридцать. Они разговорились о Лениной работе в ЦЕРНе, обсуждали здешнюю жизнь, нравы швейцарцев и французов, разницу в их привычках и образе жизни… Леня уверял, что вообще-то Женева не такая скучная, как кажется, просто то, что здесь действительно интересно, мирному обывателю недоступно.

— В этом городе кишмя кишат агенты самых разных разведок, — говорил он. — Отмываются страшенные деньги, заключаются контракты, из-за которых потом гибнут тысячи людей. И все это в полнейшей улыбчивой тайне, а болван-путешественник видит только дурацкий фонтан на озере, да еще Монблан…

— Если повезет, тот ведь почти всегда в дымке?..

— Да нет, — говорил Леня, — здесь бездна плюсов, особенно в Женеве. Жизнь такая, знаешь, как в раю. У нас в Мейране есть садово-лесное хозяйство, ягоды выращивают: клубнику, малину, ежевику, черную смородину. Мы с Лидой называли его «швейцарским колхозом». Там можно самим собирать, представляешь? Ешь себе от пуза, сколько влезет.

— Воображаю, как наши люди дорываются до халявы.

— Ну да. А что набрал в корзинку — взвесь на выходе и плати, и гораздо дешевле выходит, чем в магазине... — Леня вздохнул и добавил: — И медицина здесь, что ни говори: Лиды давно б уже на свете не было. Ее тянули сколько лет!.. Возьми правее, — наконец сказал он. — Минут через пять съезжаем.

Подниматься они начали километра через два, и резко вверх. Странно, в отдалении горы казались такими пологими холмами. Дорога сузилась, вздыбилась и свилась кольцами, как взбешенная змея, вставшая на хвост. И словно там, наверху, ее пасть изрыгнула холодный пар — вокруг все стало окутываться туманной влагой.

— Я так и знал, — расстроенно проговорил Леня. — Ни черта не увидим.

— Ничего, ты все опишешь по воспоминаниям, — отозвался Михаил, с трудом вписываясь в крутейший поворот.

— Не гони! — воскликнул Леня. — Не гусарь, пожалуйста! Тут надо просто тихо ползти.

Ах, вот как... подумал он. Все же хочется жить, а, милый? Не мчаться за Лидой в кипящий Аид или куда там отправлялись за мертвыми возлюбленными орфеи разных эпосов, а все-таки жить, жить!

Судя по всему, поднимаясь, они ввинчивались в те самые увалистые облака, за грозной погоней которых он так увлеченно следил каких-нибудь десять минут назад. Туман уплотнялся, шевелился, дышал, свет фар буравил его кромешную мякоть двумя световыми трубами, в которых, как обезумевшие, метались золотые искры. Слева скользко и черно мерцала отвесная скала, справа угадывался обрывистый склон. Михаил вспотел в своей легкой куртке, хотелось содрать с себя даже рубашку.

— Что ж тут ограду посерьезнее не поставят, в вашем благословенном раю? Чтоб души свободно летели?

— А бесполезно... дорога узкая, кренделями, и если что — машина валит любую ограду. — Леня помолчал. — Со мной тут однажды случай был, знаешь. Ехал из ЦЕРНа после ночного дежурства у ускорителя, заснул за рулем. К счастью, это было повыше, там более пологие склоны, так что машина просто плавно съехала в ложбину и застряла между деревьями. Представь, просыпаюсь от сильного толчка, не могу понять: где я? что со мной? почему мир перевернут?... Когда понял — стало меня трясти. Еле вылез из машины; она стояла торчком, чуть ли не на боку. Вскарабкался на дорогу и пешком дошел до Сан-Серга...

— Повезло...

— Нет, не повезло! — возбужденно возразил Леня. — Тут другое... Обычно Лида всегда спала, когда я возвращался на рассвете. А тут вхожу — она на ногах, одетая, бросается ко мне с воем, лицо зареванное: «Слава богу, слава богу!»... Говорит, проснулась, как будто кто за плечо тряс; и вдруг такой страх накатил — за меня страх, — что стала она молиться, представляешь? — бормочет, бормочет, умоляет кого-то, сама не знает кого, от страха слова проглатывает...

Молиться?! — подумал Михаил. Лидка?! Чудны дела твои, господи... «Если будешь сильно деловая, функция ослабнет половая..» М-да... Как все же меняет нас жизнь, эмиграция и возраст... Да-да: и застарелая любовь. Застарелая любовь, ожесточенно повторил он, которая въедается в душу, будто ржавчина, накипает, нарастает на душе, как ракушки на днище корабля. Вслух спросил:

— И вот так-то после ночных дежурств ты здесь ездил?

— Есть дорога поспокойнее, от Неона, — мы ею вернемся. Просто тут гораздо ближе. Ты устал? Хочешь, сяду за руль?

— Да пошел ты, — отозвался он добродушно.

Иногда туман редел, и тогда светлело от снега, что еще лежал меж деревьями и на обочине. Там, где он уже растаял на склонах, голубым, лиловым и желтым улыбались какие-то цветы... и тут же снова все окутывала вязкая муть.

Наконец дорога раздалась (змея успокоилась и улеглась), смутно мелькнули слева один за другим три дома... еще поворот, еще один, последний — и возникла улица.

— Приехали, — явно волнуясь, проговорил Леня. — Езжай прямо… еще дальше… плохо видно… вон у того желтого домика паркуйся. Это контора Эжена.

— Эжен кто — парикмахер? — спросил он.

— Почему — парикмахер? Квартирный маклер…

— О! И тут продают-покупают?

— А ты что думал?

— Я думал — наследуют дом старой тетушки, топят по выходным брикетами ее древнюю чугунную печку, ходят к воскресной мессе…

— Говорю тебе, дурак, — это модный курорт, здесь хорошая лыжня, дорогое жилье и…

— Не кипятись, Леонид Семеныч…

Сверху на крыши домов валились дымные валуны, как будто на соседней вершине выкипала пена из-под крышки гигантского бака; такая же пена поднималась снизу из ущелья. Клочковатые потоки встречались, ворочались, как борцы сумо, в безмолвной рукопашной, распадались и уносились прочь. В какую-то минуту прояснилось совсем, будто очередная облачная лавина застряла в пути, зацепившись охвостьями за пики высоких елей.

— Э, да тут прелестно!

По сути дела, местечко Сан-Серг представляло собой одну центральную покатую улицу, она же была и дорогой, что вела дальше вверх в горы, — в сторону Франции.

Здесь все подчинялось горному рельефу, все вписывалось в него. Каждый дом выставлял бок, балкон или крыльцо в той позиции, в которой ему удобней было устоять на склоне. Из-за того, что все, как в кисее, было в легком туманце, дома походили на иллюстрацию к сказкам братьев Гримм: сумерки зимнего утра, дым из труб…

Вся улица казалась крепко сложенной, туго сбитой, скрученной, вросшей в гору. И в этом тоже, как и в небольших окнах, защищенных от ветров и туманов плотными деревянными ставнями разных цветов — зелеными, синими, винно-красными (вот уж летом, в ясный день, надо думать, здесь глазу весело!) — было свое спокойное упрямство, достоинство и стойкость.

И вновь, будто услышав мысли друга, Леня проговорил:

— Весной и летом на окнах, на балконах полно герани. Все такое цветное, праздничное… А когда уж глициния расцветает — видишь, вон те сухие жилы плюща на стенах? — весь Сан-Серг тонет в сиреневой дымке, и главное, запах такой, что выходишь на улицу, и голова кружится... — И повторил огорченно: — Неудачное время для поездки — ранняя весна!

— Ничего, и так очень мило.

Улицу то заволакивало холодным дымом, то его серая кулиса разъезжалась, обнажая склон ближней горы с языками остатнего снега.

— Там лыжня, — сказал Леня, махнув рукой. — Ты не думай, сюда элита приезжает — актеры, бизнесмены... Зимой здесь, знаешь, какая толкотня — жизнь кипит вовсю... А вон там мы и жили, — он кивнул на двухэтажный, разнобокой конструкции домик, по второму этажу опоясанный балконом с деревянными резными перилами. — Два крайних окна слева... Трубу видишь? Это наша печка. — Он оглянулся, глубоко вздохнул, набрав воздуха в грудь. — Господи, сколько же здесь исхожено с Лидой! Все тропки, все склоны, даже и довольно крутые... В это время уже примулы из-под снега... Ты не поверишь, как здесь бывает: вчера еще ничего нет, а сегодня, за одну ночь, вся тропинка усыпана примулами! И после этого — как по команде — почки набухают, за неделю горы меняют цвет. Это как волшебство... Жаль, ни черта сейчас не видно. И не скажешь, что весна.

И правда: внизу у озера цвели кусты и деревья, здесь же зима еще цепко держалась за склоны, и голые леса издали казались серебристыми волнами на горах. Внизу, где должна была распахнуться голубая даль Женевского озера, лежала грязноватая перина плотного тумана.

— Здесь в горах можно встретить целые поля нарциссов, — продолжал Леня со счастливым лицом. — Если б ты знал, как мы далеко заходили втроем, с Генри. — Он вдруг хохотнул, вспоминая: — С Генри случай был смешной. Здесь, повыше, часто встречаются косули и горные козочки. И Генри их любил гонять — ты же помнишь, он был таким заводным, даже в старости. Однажды увидал стайку козочек и рванул за ними в лес. Через минуту вылетает оттуда с диким визгом, как футбольный мяч, а из леса появляется голова здоровенного козла, который смотрит Генри вслед, явно любуясь своей работой... Бедный пес еще долго скулил и задницу зализывал. Что называется — проучили!

Кукольный мастер. *2010*

Собственно, думал Михаил, с нежностью посматривая на друга, встреча с прошлым состоялась, и можно уже ползти дальше. Хотя, признаться, дальнейшая дорога в этом скисшем молоке не очень его вдохновляла. Надо подать Леньке мысль — где-нибудь тут кофе выпить. Хотя бы, вон, в симпатичной кондитерской, с такими уютными занавесками на окнах… А тем временем, может, и распогодится.

— А башенку с часами видишь? Там станция железной дороги. Поездо́чек такой смешной ходит — два-три вагона. Весной поднимаешься из Неона в Сан-Серг, а мимо — солнечные полосы желтых кустов, и ты ежедневно снуешь — из весны в зиму, из зимы в весну… — Леня обернулся, мечтательным взглядом обводя горбатую улочку, и сказал: — Пойдем, что покажу. Надеюсь, там открыто. Ничего, что воскресенье, он всегда открыт…

И стал спускаться вниз, мимо маклерской конторы, продуктового магазина, пансиона и кондитерской, а дойдя до небольшого торгового центра, пустого и темного, поднялся по ступенькам в аркаду и остановился перед одной из дверей. Михаил поднялся вслед за ним и удивленно присвистнул.

Большое окно рядом с дверью то ли в магазин, то ли — судя по ящикам за стеклом — в какой-то склад оказалось витриной, заставленной виртуозно сработанными моделями разных средств передвижения.

Изумительно подробно и точно сделанные легковушки, мотоциклы, автобусы, велосипеды — как старых, так и новейших моделей — занимали место на многочисленных полочках, перевернутых коробках, ступенчатых подставках. Но главное: в центре окна-витрины разлегся весенним зеленым бегемотом искусно сработанный холм, поросший деревьями, кустарником и цветами и опоясанный рельсами железной дороги. На рельсах застыли игрушечные вагончики. И всему здесь нашлось место: будке обходчика, кирпичному зданию станции с остроконечной башенкой (часы показывали полшестого), головастым фонарям, носильщику с тележкой, полной саквояжей, а также нескольким пассажирам на перроне, среди которых выделялась комично толстая дама в шляпке, с букетиком трудноразличимых цветов на тулье…

— Это что! Сейчас увидишь, как все это засвистит-затарахтит. Ты будешь поражен! — И Леня толкнул дверь.

Они вошли в магазин, вернее, друг за другом протиснулись в щель между ящиками и полками. Здесь было странно тихо, затхло и сумрачно. Даже свет не горел.

— Это не всегда так, — проговорил Леня, будто извиняясь. — Время, понимаешь, — не сезон, воскресный день. Без туристов здесь все впадают в спячку. — И крикнул в глубь помещения: — Мсье Пероттэ! Мьсе Пероттэ!

В конце коридора вспыхнула вертикальная щель, там задвигались... звякнула какая-то банка или ложка, заскрипели пружины. Через минуту возник и осторожно двинулся навстречу силуэт калеки на костыле.

Леня быстро и приветливо заговорил по-французски, тот ахнул, отозвался — видимо, узнал. Они сошлись в узком пространстве между полками, где невозможно было развернуться, и принялись горячо трясти друг другу руки.

— Потом все объясню, — быстро обернувшись, бормотнул Леня и что-то сказал мсье Пероттэ, указывая на друга. Тот с готовностью кивнул, включил какой-то рычажок, озарив помещение магазина, который оказался не таким уж и маленьким. Еще один щелчок — и вдруг слегка загудело, защелкало, маленькие фонари на кольце железной дороги налились апельсиновым светом, поезд свистнул, дернулся и поехал по рельсам.

Самое удивительное, что искусственный холм медленно вращался сам по себе, что создавало абсолютную иллюзию естественного движения поезда, так как менялись декорации и пейзаж. Поезд мчался вдоль горных склонов, машинист давал гудок, обходчик сигнализировал фонарем, носильщик объезжал по перрону толстую даму в шляпке... Мимо проплыл ремонтный вагон с открытой платформой, на которой стояли рабочие в синих куртках, причем один наклонялся через борт платформы, на что-то указывая рукой приятелю... Целый день можно было стоять тут, глаз не сводя с этого механического чуда, со всех этих деятельно жестикулирующих крошек.

Наконец, все стало. Хозяин лавки — он же оказался и мастером, вернее, творцом всего этого подробного, забавного и страшно убедительного мира — повернулся к Лене и заговорил о чем-то, вероятно, грустном, сокрушенно вздыхая и качая головой. Свежее розовое лицо, длинные седые волосы, пылкая французская речь.

Иногда Леня оглядывался и отрывисто бросал:

— Они живут прямо тут, в магазине, со старой маман... Хозяин поднял плату за квартиру, они не могли платить, хозяин их выгнал, пришлось переехать сюда...

И пока Леня переводил, мсье Пероттэ печально улыбался и поощрительно кивал, будто понимал каждое слово.

Наконец, все так же улыбаясь, проговорил что-то с вопросительной интонацией — во фразе прозвучало: «...мадам Лидия?» — по чему стало ясно, что мастер спрашивает, как поживает Лида. Видимо, не знал ничего.

И Леня сдержанно ответил — надо полагать, сообщил, что мадам Лидия умерла полгода назад.

Потом они шли по улице, и Леня возбужденно говорил:

— Ты заметил, как я спокойно, достойно — о Лиде? Я доволен собой. Я доволен. Вот так и надо — перед чужими... — И вновь голос его осекся, он поднялся на крыльцо кондитерской и рванул на себя дверь.

Это был светлый благоуханный рай, исполненный ароматов корицы, кардамона, гвоздики и ванили. Невысокая деревянная перегородка делила помещение на магазин и собственно кондитерскую с тремя столиками. За стеклянным прилавком-витриной, уставленной цветными грядками пирожных и булочек, стояла крупная женщина средних лет с короткой стрижкой пшеничных волос, так напомнивших ему... Она отпускала двум ребятишкам конфеты в бумажных пакетах, и на приветствие Лени — тот позвал ее чудесным именем — Сесиль! — подняла голову и вся засветилась. И опять они оживленно и быстро говорили по-французски, и Леня отрывисто бросал фразы через плечо или задавал ненужные вопросы: с какой начинкой ему взять круассан?

— С любой, — ответил Михаил, не сводя глаз с этой светлой, крупной, очаровательной женщины.

— Пошли, сядем, — сказал Леня, — нам Сесиль все сама принесет. О, ты не знаешь, она ведь отличная медсестра, она делала Лиде уколы и...

Сесиль принесла поднос с кофе и круассанами и, видимо, борясь с собой, все-таки осторожно спросила про Лиду — опять мелькнуло: «...мадам Лидия?..» — и снова Леня, сглотнув, бросил три слова, глядя в окно. Сесиль ахнула, всплеснула руками и вдруг легко, тихо заплакала.

Леня поднялся, схватил ее руки и некоторое время держал их обе в ладонях, благодарно прижимая к груди. Потом склонился и поцеловал...

Тут в помещение влетела еще стайка ребятни, Сесиль устремилась к прилавку и там быстро говорила двум девочкам-близнецам что-то увещевательно-ласковое, улыбаясь глазами, не просохшими от слез.

Леня помолчал, проговорил с трудом:

— Сесиль сказала: «Бедная мадам Лидия... Она была такая милая...»

Он подумал: счастливый Ленька. И даже не понимает, какой он счастливый. Как состоялась его судьба, его любовь... И даже нынешнее его горе — такое достояние, такое неразменное, огромное цельное счастье...

К полудню туман не рассеялся, но слегка поредел, и они еще вволю погуляли. Сан-Серг оказался не таким уж крошечным: дома спускались и поднимались по склонам горы, препоясанной дорогой; церкви были две — одна католическая, на горке, другая протестантская, со скромной колокольней, уютно укрытая в лощине. В протестантскую они зашли. В небольшом зале с витражами в окнах служба только что закончилась, и пять-шесть старушек уже расходились. Но когда они с Леней поднялись на крыльцо, женщины Леню узнали, обступили, и вновь зарокотала французская речь, и на картавых ее крылышках прилетела вездесущая «мадам Лидия», и Леня сдержанно рассказывал бывшим соседкам о своем горе.

Так вот ради чего они сюда приехали! Просто Леня боялся ехать один, оставленным и одиноким, — сюда, где они с Лидой так счастливо жили вдвоем. А с другом все было нестрашно и не так больно; все было иначе.

Наконец они сели в машину и поехали обратно — через Неон. И когда мимо внушительных вилл и зажиточных ферм (все здесь было богаче и респектабельнее, чем в Сан-Серге) спускались плавными дугами вполне приличной дороги, небо прояснилось; открылось и стало приближаться озеро, и белые перышки облаков аукались перышками яхт на нежно-голубой глади.

Неон оказался славным приозерным городком, на самом верху его сидел сказочный белый шато с остроконечными колпаками крыш на круглых и прямоугольных башнях, а также со всем, что к порядочному замку прилагается: флюгерами, флагами, гербом над внушительной входной дверью. Кажется, в шато находился музей — то ли истории города, то ли *памяти и уважения кого-то или чего-то.*

Внутрь они не вошли, просто погуляли вокруг, посидели на площади, обсаженной платанами, чьи обрубки ветвей были воздеты к небу, словно деревья кому-то салютовали или молили о пощаде, — и затем крутыми улочками спустились к набережной, к ряду уютных ресторанчиков, призывно открывающих двери к обеденному времени.

Как раз и проголодались; и перед тем как войти в заведение, чья терраса глядела прямо на озеро и дымчатую горную цепь на другом берегу, Леня чуть не за рукав поймал какого-то прохожего и заставил его сфотографировать их обоих у старинного круглого фонтана на маленькой площади.

Вошли, расселись, и пока официант не принес карту меню, Михаил смотрел на ровное натяжение голубой материи озера с цветными заплатками яхт, думая о кротком, куда более кротком, чем морское, дыхании этой воды. Все вокруг, вся здешняя жизнь были подчинены ритму мирного дыхания озера. В том числе и плавность лебединого хода, столь отличная от истеричной резкости чаек…

— Что здесь брать? — спросил он, рассматривая карту меню.

— Возьми «филе де перш», — отозвался Леня. — Не ошибешься.

Платаны и тут выставляли напоказ черные обугленные культи. Михаил смотрел на зеленую мшистую прозелень стволов и думал — в них есть что-то упрямое, как в покалеченных ветеранах. Какая-то угрюмая стойкость…

Мимо окон кафе сновала воскресная расслабленная публика.

Он заметил женщину в платке и длинном черном платье, заговорил о нынешнем столпотворении народов в Европе, о том, что хваленая европейская толерантность, похоже, трещит по швам — вон как швейцарцы поднялись на дыбы против минаретов.

— А знаешь, — сказал Леня, — все говорят, что мы, русские, не приучены в совке к толерантности. А я думаю — наоборот. Не все, конечно, но у кого были глаза и сердце… Мне мама рассказывала… она тридцать пятого года, родилась в Рошале — знаешь, в Шатурском районе городок? Километров двести от Москвы. Там был военный завод. И в войну в город пригнали — наверное, по мобилизации — несколько сотен узбеков, муж-

Поцелуй на морозе. *2003*

чин. Может, они и работали на заводе, но впечатление было такое, что они никому не нужны. В любую погоду в вышитых тюбетейках и стеганых халатах они ходили по домам, просили милостыню. Кто-то делился с ними куском хлеба или картофелиной, кто-то гнал взашей... Ими детей пугали — вид-то необычный, и язык чужой. Говорили: не будешь слушаться, узбек заберет. И малыши боялись этих несчастных людей до родимчика. Некоторые из них на толкучке торговали сухофруктами — видимо, им из дома присылали, — и мама по дороге из школы нарочно проходила толкучкой, говорила — узбеки давали детям горстку душистого урюка или изюма просто так, без денег — наверное, не могли смотреть в голодные глаза детей... Потом они пропали — неизвестно куда. Может, им разрешили вернуться по домам? Хотелось бы так думать. Но из-за сурового климата многие из них поумирали... И вот, знаешь, мама ведь сама умирала долго, мучительно... Мы с Лидой напоследок ее забрали к себе. Однажды ночью мне показалось — зовет. Я вошел к ней, склонился, вижу — слезы по щеке текут. «Мамочка, что? Больно? Укол сделать?» А она мне... не поверишь... жалобно так: «Узбеки снились. И жалко, так жа-а-алко этих невинных людей. Леня, сынок, за что их погубили?»

— Ленька, — сказал Михаил решительно. — Тебе нельзя одному быть. Постой, дай сказать! Не сейчас, не сразу... но ты поверь: в тебе столько этого нажитого тепла, этой семейной любви...

Чуть не сорвалось с языка, что тоска по Лиде смягчится со временем, но разумно промолчал, а вслух повторил:

— Нельзя тебе одному быть!

— А тебе можно? — резко перебил Леня. — Ты что несешь здесь, сваха благочестивая? Сам-то — почему не расскажешь, что у вас с Ириной стряслось?

Михаил усмехнулся, подобрал вилкой оставшийся на тарелке кусок рыбки, отправил в рот и весело проговорил:

— Я тебе лучше — притчу на эту тему, ага? Решил еврей разводиться с женой, приходит к раввину и просит — ребе, разведите меня с этой женщиной. Тот поражен, совсем вот как ты: «Как?! Что это значит? Вы прожили вместе четверть века! В чем причина?» И тот ему отвечает: «Извините, ребе, но пока она моя жена, я ничего плохого говорить не намерен». Делать нечего, положение безвыходное, раввин расторгает брак, после чего, сгорая от любопытства, спрашивает мужика: «Слушай, ну вот, отныне вы чужие люди, она для тебя — посторонняя женщина. Теперь-то ты можешь мне сказать — из-за чего решил развестись?» А тот ему: «Нет, ребе. Теперь она — чужая женщина, а я не приучен перемывать кости посторонним людям».

Леня внимательно и серьезно глянул ему в глаза и коротко бросил:

— Понял.

По пути в Женеву Леня сел за руль. Весь обратный путь вился по берегу озера, мимо очаровательных приозерных городков, переходящих один в другой. И когда въезжали в Женеву, Леня вдруг сказал:

— А ты в нашем соборе так и не побывал?

— Не вышло.

— Напрасно! Обязательно надо сегодня зайти. Мы с Лидой первое время туда частенько бегали — на витражи смотреть. Там они особенные… Слушай, мне как раз надо смотаться по делам работы в одно совсем неинтересное место. Давай я тебя завезу в центр, а на обратном пути заберу? Походишь, посмотришь. Может, орган сейчас играет… Это полчаса от силы.

— Ну… давай, — согласился он. Не хотелось Леньку огорчать. Витражи так витражи. Орган так орган, почему бы и нет. И гнать из памяти к такой-то матери все концерты, на которые они бегали с *ней* в Москве, Питере, Праге; в Дрездене, в Иерусалиме… *Она* закончила училище по классу фортепиано, была влюблена в музыку, хотела даже в консерваторию поступать, но отец отговорил, не считал это занятие *надежной* профессией. *Она* поступила на химфак, но по натуре и по интересам так и осталась недоучившимся музыкантом. Эта ревнивая любовь к музыке за многие годы передалась и ему, и со временем стала душевной необходимостью. Они всегда покупали филармонический абонемент и, оказавшись в новом городе, первым делом искали глазами афиши органных, симфонических и камерных концертов. Что же теперь делать со всем этим наследием?..

…Музыка потянулась вслед за тяжелой дверью, которую он с натугой отворил. Гулкое сумеречное нутро собора медленно переваривало бурчащие обрывки пассажей, которые где-то наверху проигрывал органист, наверняка репетируя программу вечернего концерта.

Он стал озираться в поисках источника звуков. Орган собора Сан-Пьер был похож на средневековый дом, из окон которого горизонтально выступали трубы, словно там, внутри, невидимые публике, стояли и трубили герольды.

Воскресная служба завершилась, собор пустовал; лишь парочка туристов беззвучно шепталась перед алтарем, над которым цвела дивной красоты витражная роза самыми яркими за день красками: солнце как раз стояло напротив, пропекая насквозь цветные стекла этого изумительного калейдоскопа, чей радужный свет в свою очередь прошивал сиреневый сумрак под высокими готическими сводами.

Михаил свернул в боковой придел — и застыл от неожиданности. Он много путешествовал и много повидал в своей жизни витражей в знаменитых церквах и соборах. Но в витражах этих стрельчатых окон было нечто особенное. Их золотой жар, алый пламень, зеленый огонь переплелись в такое безупречное по цвету и композиции сияние, что эпизоды евангельской притчи, заключенные в свинцовые переплеты, звучали с поистине апостольской страстью. Картины, пылавшие в этих окнах, заставляли человеческое зрение — всегда стремящееся вовне — обратиться внутрь, в самую глубину существа. Смотри в себя! — словно бы приказывали они. Вернись в себя, вглядись пристальней…

Он стоял так минут пятнадцать, ни о чем не думая и ничего не вспоминая, только блуждая взглядом по драгоценным переливам этих волшебных створ. Впервые за последние страшные недели он был не то что счастлив, но благодарен и спокоен, и защищен отстраненным милосердием чьего-то гения. Он не заметил, как репетиционное бурканье органа прекратилось и наступила шелестящая тишина, в которой пошаркивали чьи-то почтительные шаги по плитам нефа…

Вдруг гневный мордент знаменитой баховской «Токкаты и фуги ре минор» рухнул в тишину собора и, задохнувшись бешеным форте, отскочил от мозаики пола, чтобы рикошетом отозваться в каждом углу.

Он вздрогнул от неожиданности…

Второй мордент, октавой ниже, протянул четыре долгих звука и ухнул в бездну. И снова, низко, в малой октаве, повторилась первая фигура.

Бокал «ледяного вина». *2007*

Всего три пассажа — и вот тебе горние выси, вот преисподняя, вот грешная земля... Как там у Иоанна: «Вначале было слово, и Слово было у Бога, и Слово было Бог»? — но кто поведал это сокровенное Слово ему, добродушному бюргеру с флегматичным лицом, — ему, Баху, потомку музыкантов-ремесленников в третьем поколении, ему — замороченному отцу многодетного семейства?

Мощь и нежность пассажей «Токкаты и фуги» переплетались, взмывали вверх и ухали в низины, распирая стены собора так, что дрожали стекла витражей. Невыразимая лунная печаль нижних регистров переходила в кружение высоких звуков — чистых, как серебро старинных вензелей.

Она была с аспирантом на даче, когда я разыскивал Костика... Вспомни эту бесконечную ночь, подвал морга, пожилого отца, что нашел там свою сбитую машиной дочь-мотоциклистку. Как он пытался поднять ее тело, ничком лежащее на промозглом, в вонючих лужах, полу, как умолял поддатого, бритого наголо бугая-санитара помочь, как отчаянным голосом повторял: «Ну, хоть не здесь чтобы, не здесь ей валяться...» А тот, равнодушный, как смерть, отвечал ему: «Мужик, давай без лирики, а?» И тогда — помнишь? — наступил момент, самый проклятый, самый страшный момент усталости и омертвения, когда ты вдруг захотел, чтобы сын наконец нашелся, хотя бы здесь, но только навсегда, окончательно — нашелся, оборвав это нечеловеческое ожидание ужаса...

И вдруг, на пределе нестерпимо долго длящегося аккорда, длящегося, как чей-то разрывающий душу стон, в груди его что-то оборвалось, и плотина рухнула.

Он беззвучно содрогнулся в бесслезном рыдании — уже не сдерживая себя, да и не в силах себя сдержать; будто сама душа бросилась, очертя голову и не стыдясь своей наготы, в грохочущий поток звуков, спасаясь в нем, сливаясь с самой стихией...

...И потом, немного успокоившись, в ожидании друга стоял, отвернувшись лицом к витражам — к этим странным окнам, что отвергают стремление взгляда в подлинную жизнь, но взамен дарят измученному сердцу прекрасные видения; к этим окнам, где горечь пурпура взывает к покою и благости лазури и бесконечно длится небесный рассказ.

Он стоял, по-прежнему не понимая, что делать дальше со своей непоправимой жизнью, мысленно благословляя невидимого органиста, кто позволил ему хоть на миг пропасть, забыть себя, уйти с головой в эту сметающую боль и тьму, прекрасную бездну глубоких вод...

* * *

В день отъезда он рано поднялся — всегда бывал тревожен и напряжен перед дорогой. Быстро собрал чемодан, принял душ и позавтракал на уютной и праздничной красной кухне. Добираться до аэропорта, сдавать тачку нужно было самому — Леня сегодня с утра дежурил. Оставалось только запереть дверь и отдать ключ старушке-соседке.

Перед тем как выйти из квартиры, он подошел к огромному окну в гостиной, перед которым любила сидеть в кресле уже смертельно больная Лида.

Парфюмерная крона магнолии еще не потеряла своей пышности, но вокруг ствола на земле уже лежали розовые думки облетающего цвета. Звонкая прозрачность воздуха являла ограненные снегом далекие горы и ближние, залитые солнцем лесистые холмы в заплатках черепичных крыш.

Он опять подумал — как чудесно здесь жить, и подходить по утрам к окну, и видеть на горах паутину розового снега...

Вспомнил игрушечную железную дорогу, с великим мастерством сработанную мсье Пероттэ: ее маленькие фонари, бойкие вагончики, рабочих в синих блузах...

Подумал — интересно, как там, в Сан-Серге? Распогодилось ли?

Иерусалим, октябрь 2011

Вечер на море. *2009*

Любовь — штука деликатная

Он похож на львенка.

Сначала мне казалось — из-за цвета лисьего, — что он зверек незначительный.

Ошиблась: лев, детеныш льва, и цвет львиный, степной — цвет Саванны.

Надо бы сначала рассказать историю его обретения. Она проста, даже рассказывать неудобно: приобрели в буквальном смысле, то есть купили, отвалив, замечу, немалые деньги. Но это так, внешние очертания событий. Если же рассказывать по порядку: два года назад нас покинул любимый пес Кондрат, Кондрашевич наш, партизан Кондратюк. Он прожил с нами семнадцать лет, вошел в литературу, изображен в картинах, купался в любви и признании широких масс, ощутил вкус истинной славы… и, выражаясь языком высоким, библейским, «пресытившись днями своими, ушел к праотцам». Говоря же по-простому, по-человечески, потеряв его, мы ужасно тосковали и мучились, но никак не решались ввергнуть свои сердца в новый водоворот привязанности и любви, а каким он могучим бывает, этот водоворот, мы уже знали.

И все же тоска по собачьему другу взяла свое: однажды, гуляя по нашему району (рука еще помнила натяжение поводка в прогулках с Кондратом), мы повстречали человека с собакой. Обаяние лохматого пса, его пепельной морды, умнейших глаз остановило нас, пленило… Мы вцепились в несчастного мужика и замучили вопросами: кто, что, как называется порода и главное, извечное: «Где брали?!».

Оказалось, порода шотландская, редкая в наших краях, называется керн-терьер, и выводит их где-то в полях, на просторах своей фермы выдающаяся женщина Дора, собачий психолог и сумасшедший энтузиаст. То есть наш человек по всем понятиям.

Мы позвонили, договорились и встали в очередь на щенка, который должен был родиться через пару месяцев.

— О, это будет персона голубых кровей! — восклицала Дора. — Ведь он ребенок Бэби и Тигра, знаменитых чемпионов из рода в род…

Честно говоря, мы не искали звонких титулов, дворянских званий и голубых кровей. Я постаралась объяснить, что хотим мы просто милую собачку, домашнего дружка… Однако все мои жалкие попытки принизить значение будущего события не встречали никакого сочувствия ни в Доре, ни в отставном летчике-истребителе Узи Барабаше, чья керн-терьерша Бэби, чемпионка Европы и Южной Америки, дочь великого Мандарина и не менее великой Леди Макбет (дедов и прадедов я не упоминаю в целях экономии бумаги), должна была произвести на свет нашего малыша от Дориного Тигра, чемпиона Израиля, Голландии и Бельгии… и уже прекратим этот утомительный и обидный для меня, плебейки, парад собачьих планет.

Мы ждали, день и ночь мысленно стоя в затылочек в общей возбужденной очереди. Очередь волновалась — ведь никто не знал, сколько щенков намерена Бэби принести.

Я же тайно переживала о своем: все эти два года вялого существования без любимого пса я так и не разучилась, подходя к дому, поднимать голову к окну, где семнадцать лет красовалась лохматая морда. И сейчас с замиранием сердца думала — неужели в мою жизнь вернется это окно, одушевленное преданным ожиданием и нетерпеливым подрагиванием наставленных на шаги хозяйки верных ушей?

* * *

Наконец нам позвонили: все хорошо, отличные щенки, шесть мальчиков и девочка. Вы в списке от Доры, ваше право выбирать первыми.

— А можно приехать прямо сейчас? — спросила я по простоте души.

— Пока не стоит, — сказал Узи. — Они еще слепые. Выбирать как нужно? Выбирать щенка — это ж надо в глаза ему поглядеть. Любовь — она штука деликатная. Вот недели через три-четыре…

И все же я напросилась приехать и взглянуть. Узи жил в небольшом городке в долине Аялон — той самой, где Иисус Навин останавливал в небе солнце для военных нужд древних израильтян.

Дом стоял на тихой, очень зеленой улице, и весь двор был укрыт какими-то лианами, виноградом, кронами пальм и австралийских кленов, так что одинокий солнечный луч, пробивший густые слои всех зеленых покровов, горел победным оком наступившей весны. Меня допустили только до стеклянной двери на террасу, за которой жила мамочка Бэби со своим приплодом. Я соорудила из ладони козырек и заглянула внутрь.

На голубом спортивном мате под светом обогревателя лежали и грелись в корзине комочки шоколадного цвета, каждый размером с мобильный телефон. Меня охватило смятение. Это в роддоме хорошо, подумала я, где тебе не надо выбирать своего ребенка. Он лежит с биркой на руке, и твоя фамилия записана на ней четкими буквами. А тут — как я узнаю, как пойму, как среди прочих, забавных и милых, почую своего?

Через месяц я приехала опять. Щенки ковыляли на толстых кривых лапах, сталкиваясь друг с другом лбами, кувыркаясь, попискивая, оставляя лужи и смешно усаживаясь на мягкую попу. Я долго наблюдала за каждым, умильно подвывая, вскакивая со стула, крадучись, чуть ли не ползком следуя то за одним, то за другим. Вконец растерялась: я была готова забрать каждого.

В этот момент один щенок валко проследовал к расстеленной на полу газетке, обстоятельно отлил порцию, огляделся и вдруг уставился на меня любопытным доверчивым взглядом. И я увидела, что это — самый крепенький, самый лобастый, самый обаятельный типчик с веселым хвостиком и карими, абсолютно человечьими глазами.

— Браво! — воскликнул Узи. — Молодец, лучшего выбрала. Тут Дора приезжала, такая сумасшедшая! Провела со щенками четыре часа и как раз твоего назвала «номером первым». Хотя родился он четвертым по счету.

И опять потекли нудные дни ожидания: Узи отдавал щенков только тогда, когда они уже не нуждались в материнском молоке. Между тем щеголеватое имя Шерлок уже витало в доме, щебеча крылышками, готовое вселиться в своего хозяина.

Еще через месяц, совсем истомившись, мы поехали его забирать.

Щенки бодро бегали по застекленной террасе, а мамаша их, Бэби, чемпионка обоих полушарий, кружила рядом и беспокоилась: что за люди пришли, к чему бы это?

Нам хотелось схватить щенка в охапку и бежать с ним поскорее до самого нашего дома. Но нас усадили и велели слушать. Узи любил поговорить и, как все настоящие собачники, оказался слегка ненормальным.

— Что такое керн-терьер? — вопросил он, подняв палец. — Это благородство, достоинство и ум. Его не нужно долго учить, чтоб не пачкал в доме. Он это знает от рождения! На него нельзя орать, боже тебя упаси! Обоюдное уважение, ласковый тон и деликатность обращения…

В этот момент маманя Бэби, чемпионка всех полушарий и стран, дочь прославленной Леди Макбет и внучка целого взвода выдающихся представителей собачьего истеблишмента, выбежала в центр персидского ковра, присела и сделала отменную лужу.

— Кажется… — пролепетала я. — Ваша собачка… там…

— Где?! — подскочил Узи. И заорал, и затопал, и, кажется, даже засвистел на свою собаку, и запустил в нее тапочкой. На что Бэби, к моему удивлению, не обратила ровным счетом никакого внимания. Видимо, такое дело было тут привычным. — Это неслыханно! — тяжело дыша, объявил Узи. — Это из-за потрясения, что сына забирают!

— Узи, — лениво улыбаясь, проговорила его супруга, — я давно тебе говорю: надо отдать наконец в чистку этот ковер.

* * *

К своему новому дому, как и к своему новому имени, Шерлок отнесся по-хозяйски. Дом оприходовал сразу, отчего я поняла, что не стоит дожидаться необходимости чистки ковра, а лучше свернуть его тихонечко и поставить, как солдата, на балконе. И имя выучил он сразу, вместе с тремя волшебными словами: «кушать», «гулять» и «вкусненькое».

В первые дни я пыталась обращаться к нему официально, полным именем. Хотя мои дети так и норовили называть его «Мочалкой» — из-за жесткой шерстки. При первой встрече дочь схватила его, подняла над головой и крикнула:

— Мочалка! Привет, Мочалка!

Пришлось призвать ее к британскому порядку и соблюдению законности.

Городская площадь. *2008*

Остальная учеба — всякая ерунда типа «Рядом!», «Ко мне!» и «Фу!» — пошла у Шерлока размереннее, а лучше сказать, ни шатко ни валко, так как не означала ничего приятного и вообще в планы его не входила.

А мы стали к нему привыкать, приноравливаться, приглядываться и потихонечку влюбляться.

* * *

Иногда я писала о нем у себя в «Фейсбуке», зная, как много страстных собачников среди моих друзей и читателей. Вот несколько записей первых месяцев нашей совместной жизни:

«Шерлок — щенок говорящий. Вообще-то он не болтлив и к выступлению готовится. Если ты говоришь ему что-то ласково-убедительное, он склоняет голову набок, снисходительно выслушивая всю твою чушь, изучая твое лицо и движения, с минуту помалкивает, как бы подыскивая ответные слова, и вдруг высоким голоском выдает удивительную сдвоенную трель. Это даже не лай, а какой-то выплеск радости: он отскакивает, припадает к полу, взмывает, перекувыркивается и залихватски вскрикивает. На человеческий язык это можно перевести так:

— Эх, ядрен корень!

Уже две недели как Шерлок осваивает мир, заодно прощупывая границы дозволенного. А мир, он огромен: наша улица и две лужайки с обоих ее концов. На одной лужайке — детская площадка, на другой — две пальмы, благоухающие собачьими приветами. Мир огромен, полон ужасающих неожиданностей, увлекательных странностей и диковинных персонажей. Например, в доме напротив живет небольшой бульдожка, часами стоящий за решеткой забора на задних лапах. Медленно ворочая башкой, он с физиономией лавочника, подсчитывающего барыши, провожает взглядом прохожих, кошек и собак.

Сегодня утром глядел на нас пару мгновений вполне меланхолично... и вдруг как рявкнет сиплым тенором! От неожиданности Шерлок подскочил, перевернулся и выкатился с тротуара на проезжую часть; впрочем, быстро пришел в себя и стал, пружиня на всех четырех лапах, как боксер легчайшего веса на ринге, подбираться к дураку бульдогу с выражением "а ты ва-аще кто такой?" на морде.

На прогулках он хулиганит: хватает нас за штанины, вырывает поводок, жрет все, что удается нарыть в траве, ускользнув от хозяйского пригляда; вчера чуть не сожрал чей-то прошлогодний окурок. Тот торчал у него из пасти, как подобранный чинарик висит на губе у шпаны.

Боря сказал:

— Ну, знаешь… Кондрат — тот был корсаром и комиссаром. Но этот… Боюсь, по сравнению с этим Кондрат уже выглядит выпускником Высших женских курсов.

(А ведь мы с самого начала дали друг другу слово, что не станем баловать пса: в конце концов, собака должна знать свое место!

— Конечно, — решительно подтвердил Узи Барабаш. — И я говорю: собака должна знать свое место, и это место — в постели ее хозяев!)

Отдельного описания заслуживают его отношения с кошками. Местные "котиус помойиус" — особы независимые и незаурядные, свое древнее происхождение ведут от загадочных египетских кошек и выглядят соответственно: небольшое тощее тело на высоких ногах, маленькая голова, прижатые ушки, холодные высокомерные глаза (если какой-нибудь не выбит в уличных боях). Голоса их не поддаются описанию, но я попробую: это объединенный рев работающей электрической пилы и запущенной на запредельную громкость арии Амнерис из оперы "Аида". Все окрестные богатейшие помойки — их удельные поместья, и не дай бог слишком близко пройти мимо: несмотря на то, что табличек "Частное владение. Вход посторонним воспрещен" я там ни разу не видела, все равно лучше держаться подальше от мест обитания этих коварных и сильных фурий. Они имеют склонность нападать исподтишка. Однажды, когда Борис пошел выбрасывать мусор, к нему на грудь — совсем не с целью братских объятий — прыгнула кошка из мусорного бака.

Но Шерлок, не разделяющий сословных и расовых предрассудков, желает дружить с каждым, кого встретит на прогулке. Даже с бандитскими натурами вроде этих бездомных развращенных тварей, которые живут припеваючи — ведь их подкармливают все старушки нашего городка!

К тому же он невероятно любопытен и, услыхав кошачьи вопли, предпочитает самолично разузнать, что за кипиш. Бросается в гущу событий с необоримым восторгом, и если б я дважды не поспела вовремя, не представляю, каким счетом от ветеринара завершилось бы это "приятное знакомство"…

...Теперь уже невозможно скрывать правду: наш аристократ Шерлок, потомок лордов и чемпионов, голубая кровь и чуть ли не кавалер Ордена подвязки, оказался мелкой шпаной, пройдохой и хитрованом. Себя он считает вожаком стаи, в которую включил всю семью, причем мы с Борисом плетемся где-то в хвосте. Умен он, конечно, как сто чертей, и видит всех насквозь. Обладатель целой палитры задушевных взглядов, которыми умело пользуется. Вообще лицедей изрядный. И хотя я терпеть не могу анекдоты, написанные правильным литературным языком (это ведь жанр устный, виртуозный, целиком зависящий от актерских способностей рассказчика), не могу не привести тут известный анекдот про рыболова и нахального лягушонка, который, высунувшись из пруда, заводит знакомство с робкого вопроса: "Нельзя ли, дяденька, рядом посидеть?", а заканчивает освоением дяденькиного кармана, где удобно размещается, как в собственном доме; а когда другой прискакавший из воды лягушонок робко спрашивает, нельзя ли тут посидеть, первый высовывается из кармана с хозяйским криком: "Да пошел ты!" — и ласково, подобострастно спрашивает рыбака: "Пральна говорю, дядь Вась?"

Так вот, на прогулке Шерлок то и дело оглядывается, ловит мой взгляд, останавливается и, склонив голову набок, проникновенно смотрит прямо в душу, как тогда на террасе, при первом знакомстве: "Пральна говорю, дядь Вась?"

И я, рассиропившись, начинаю сюсюкать приторные глупости, строить ему глазки, такому маленькому, рыжему... А он резко бросается в сторону, чтобы молниеносно схавать какую-нибудь ужасную дрянь, которую давно заприметил. Вообще на прогулках за ним нужен даже не глаз да глаз, а оба глаза, возведенные в квадрат, — он хватает все, что можно отодрать от тротуара и унести в зубах.

Любопытен он невероятно, всепоглощающе! Любопытен просто так, по-человечески, к миру. Если б речь шла о человеке, можно было бы сказать: жаден до впечатлений. Причем самых разных. Машина ли проехала, ученица ли плетется из школы, долизывая мороженое на ходу, вороны ли выясняют отношения, собака ли встретится — все это пища для размышлений и действий. Вот идут мимо нас две женщины в энергичном утреннем марафоне. Шерлок резко разворачивает меня и следует за ними, словно его увлекла их сугубо частная трепотня. А иногда остановится рядом с двумя встречными

Синяя лошадь. *2009*

кумушками и стоит — не оторвать его, — внимательно слушает сплетни. Переводит взгляд с одной на другую, старательно вертит башкой, напоминая этим вдохновенного бездельника и разяву: "А она что? А он что в ответ? А она ему на это?" Слушает внимательно, долго, затем оборачивается и саркастически смотрит мне в глаза, понимания ищет: "Вот дуры-то! Прально говорю, дядь Вась?"

Если мы с Борисом собираемся куда-то уйти, то, как велела великая Дора, во избежание разгрома квартиры сажаем его в "тюрьму" — довольно удобную клетку-фаэтон, в которой он почивает ночами, а также совершает по четвергам выезды на высшие курсы собачьей премудрости. Но заметив, что я "одета на улицу", он немедленно скрывается за креслом, под столом — где угодно, откуда выцарапать его не представляется никакой возможности, уж больно ловок и увертлив.

Бывает, что приходится сажать его в "тюрьму" за дело — когда он безобразничает и не может остановиться, заряжаясь сам от своих свирельных воплей, рычания и ошеломительных прыжков и наскоков.

Тогда стоит лишь прикрикнуть:

— В тюрьму захотел?! В тюрьму?!

И он нехотя — "Да ла-а-адно те..." — удаляется прочь презрительной походочкой малолетнего уголовника, валится в углу на ковер, протягивает вперед обе лапы, кладет на них рыжую башку. И оттуда смотрит на нас пристальным, и укоризненным, и насмешливым одновременно взглядом: "Ну и многого вы добились своими методами?"

По натуре он — типичная "деловая колбаса"; если б был человеком, был бы мелким бизнесменом, из тех, кто постоянно затевает новый бизнес, постоянно прогорает, берет ссуды, не платит, трясется, что его отдубасят... и все же опять берет огро-о-омную ссуду, типа — решается моя судьба: сейчас или никогда. Получается — никогда, что особенно видно на примере краденых пляжных тапочек. Но это целая эпопея, сначала надо рассказать о его игрушках.

Среди них есть любимые: веревочная псевдокосточка (которую он терзает и мутузит, провокативно рыча, чтоб мы, две старые клячи, побегали бы за ним да поотнимали) и резиновая уточка — его трофей в самом буквальном смысле слова: он выкопал ее из песка на детской площадке, да так, что этого не заметили ни младенец, ни его бабушка, ни даже я, хотя Шерлок нес в зубах свою фартовую добычу до самого дома.

Есть и любимая кость, купленная мной по ошибке в зоомагазине. Она великовата для такого небольшого песика — крученая, роскошная, рыжая, как и он сам. Шерлок неразлучен с нею, хотя в соотношениях размеров это как Ленин с бревном на субботнике. И если уж мы вспомнили политических деятелей: Шерлок держит свою кость в зубах, как дорогую гаванскую сигару, так напоминая этим известный портрет Уинстона Черчилля, что хочется немедленно налить ему виски.

Однажды Борис лежал на кровати с журналом. Он задремал, как это часто случается в середине дня, и проснулся оттого, что Шерлок стоял над ним, уперев передние лапы в грудь и деятельно пытаясь вставить ему в приоткрытые губы свою любимую "сигару". Ну надо же, приговаривал Боря, когда отплевался, не пожалел своего, нажитого, угостил от души.

Однако помимо игрушек любимых есть у него и ненавидимый синий мячик, резиновый, писклявый и слишком большой, чтобы его можно было захватить зубами и как следует отколошматить об пол. Тот самый случай, когда "видит око, да зуб неймет" — то есть ситуация для психики нашего пса непреодолимая. Поэтому, присев на задницу, Шерлок облаивает несчастный мячик простонародным скандальным голоском продавщицы гастронома, после чего со страшными проклятьями гоняет носом по всему дому.

Показательный случай с пляжными тапками характеризует алчную натуру нашего авантюриста как нельзя лучше. Вообще это не ново: щенки таскают и грызут хозяйскую обувь. Моя приятельница жаловалась, что ее спаниель в розовом детстве сожрал пять (!) пар новых кроссовок. Так что я не жалуюсь, просто живописую. Классическая картина такова: щенок хватает ботинок (сандалию, туфлю, тапку) и утаскивает в укромный угол, где можно спокойно позавтракать. И я знаю только одну собаку — пройдоху Шерлока, — что ухитряется тащить одновременно и правый, и левый экземпляр. Да-да, в случае с пляжными тапками: он догадался (высокий ай-кью шотландского дворянина!), что хватать их надо за резиновые перемычки, разделяющие большой и второй палец ноги. Не забуду картины: сначала старательно подогнав их *один к другому, он с минуту ходит вокруг своей инсталляции. В глазах — напряженная работа мысли. Наконец аккуратно и точно захватывает зубами обе перемычки и, услышав мой восхищенный вопль, бежит прочь, высоко задрав голову. Через пять метров он сам выронит свою добычу, но пока упоенно бежит, а по обе стороны от физиономии тяжелыми поникшими крыльями волокутся обе тапки, и отнять их не представляется возможности, ибо, как говорит Дора, "керн — это маленькая собака с зубами немецкой овчарки!"*».

* * *

С самого начала Дора заявила, что Шерлок просто обязан пройти курсы благородных джентльменов.

— Когда он будет показываться на международных выставках... — начала она.

Я опять робко попыталась объяснить, что взяла в дом не марширующего солдата и не натасканного на победы спортсмена, а близкую душу.

Дора лишь гневно отмахнулась:

— Ты хочешь загубить ТАКУЮ собаку?! Обрубить ветвь славной шотландской династии?!

Я сжалась, не решаясь возразить. А она напирала. Схватила Шерлока на руки, открыла ему пасть.

— Ты видала еще где-нибудь такую красоту?! — крикнула Дора. — А экстерьер? Ты видала когда-нибудь такое лицо?!

Я скорбно промолчала и не стала говорить, что, по-моему, наш Шерлок — просто милая рыжая собачонка. Ладно, вздохнула я. Династия так династия. Экстерьер так экстерьер.

И мы — при моей кошмарной занятости — стали ездить на уроки на собачью ферму. Полтора часа в один конец — это если без пробок.

Первой командой, которую требовалось выучить, была команда «Рядом!». Для такой цели резалась на кусочки сосиска, и бегущему слева от меня псу я должна была выдавать по крошечной порции с криком: «Молодец!».

— Не так! — вопила Дора. — Громче! Эмоциональней, ярче! (Дора вообще-то говорит на иврите, но собачьи команды знает на восьми языках.) Ты должна петь, как труба иерихонская: «Ма-ла-дэээс! Ха-ро-щи мал-чи-и-ик!» Он должен понимать, за что страдает!

Сумерки. *1993*

Он понимал. За сосиску Шерлок готов был не то что рядом трусить, но и дьяволу душу продать. Так что учение шло семимильными шагами. Правда, без сосиски он никуда не бежал. И если вдуматься: вы бы побежали? Я — нет.

— Он гений! — убежденно говорила Дора. — Шерлок — это один сплошной интеллект!

Я опять помалкивала. Нет, я готова была признать, что мой пес — паренек ушлый; неясно только, почему этот могучий интеллект не способен осилить простого правила: терпи до прогулки…

Попутно мы совершили ряд дорогих приобретений, например, купили какой-то особенный строгий ошейник — для пущей дисциплины.

Когда я попыталась выяснить, не сдавит ли щенку горло это орудие пытки, Дора презрительно ответила: «Это не пу-дэль! Это — КЕРН!»

И сейчас я готова признать ее правоту. Шерлок поразительно силен для такой небольшой особи: уж если не намерен двигаться дальше, то встанет, как монумент, и фиг его с места сдвинешь, а проказлив, как тысяча чертей, и своего все равно добьется — не мытьем, так катаньем. Без строгого ошейника мой пес вообще скоро стал бы неуправляемым беспризорником.

* * *

Буквально в первый же месяц совместной жизни все мы пережили изрядное потрясение, а Шерлок помимо имени приобрел еще и кличку.

Дело в том, что на втором этаже нашей квартиры мы построили мастерскую для Бориса. Сколотили стеллажи, перевезли картины, несколько дней обустраивали рабочее место… Наконец в одно прекрасное утро наш художник установил мольберт, выдавил краски на палитру и приступил к работе.

Шерлок, само собой, попытался освоить дополнительные метры своей жилплощади. Однако твердой рукой отец закрыл дверь перед его черным носом, жадно вдыхающим ароматы краски и терпентина. И пес вроде бы смирился: прискакал вниз и стал гонять свою резиновую уточку, медленно сжимая ее в зубах и выдавливая из страдалицы протяжный писк.

В полдень Борис спустился выпить кофе. Тут забежала на минутку наша дочь, завертелся разговор…

— А где Шерлок? — спросила Ева спустя полчаса. Мы переглянулись и подскочили.

И в этот момент увидели его. Вернее, не его, а… По ступеням лестницы со второго этажа спускался некто, и лишь глаза поблескивали в лиловой чаще бороды и усов. Он останавливался на каждой ступени, поглядывая на нас сквозь эту лиловую чащу, со своим коронным: «Пральна делаю, дядь Вась?» — и по всей лестнице за ним тянулись отпечатки лиловых лап. Это была красивая картина.

Боря взвыл:

— Кобальт фиолетовый!!!

Мы заголосили, все трое одновременно, так как не знали, сколько краски он сожрал и как долго — час? два? — может после этого прожить…

Боря, чувствующий вину за то, что, выйдя из комнаты, неплотно притворил за собой дверь, суетливо повторял:

— Там, понимаешь, льняное масло, в краске-то… Вот он на масло и потянулся…

До ветеринарной клиники в Реховоте, где работает знакомый наш врач, к счастью, дозвонились быстро.

— Не паникуйте, — сказал доктор. — Не сходите с ума. Просто садитесь в машину и привозите его немедленно. Вас будут ждать.

И едва мы внесли в приемный покой свое еще живое произведение искусства с фиолетовой физиономией, предупрежденная секретарь Марина вскочила и постучала в дверь смотровой. Оттуда выглянула врач в зеленом халате, оглядела приемную, полную всевозможной живности, и сказала:

— Кто тут живописец? Входите!

Так еще раз подтвердилось, что наш Шерлок — парень крепкий, каким и положено быть шотландскому горцу. Ведь согласно решительному вердикту нашей Доры: «Это не пудэль! Это керн!»

Правда, мне и до сих пор чудится, что на солнце его пушистая морда отливает чем-то романтическим, лиловым… И что тут скажешь? Живописец!

* * *

Вторым серьезным потрясением для Шерлока (да и для нас тоже) стала неизбежная процедура по изменению щенячьей внешности. Не могу сказать, что он франт, но все же уважение к собственной шерсти, рыжему хвосту и львиной гриве у него наличествует. Недаром он так внимательно и с таким тайным удовлетворением вглядывается по вечерам в свое отражение в темной балконной двери.

— О чем вы думаете! — бушевала Дора. — Щенок чудовищно оброс! Он похож на медведя. Немедленно записываю вас на тримминг!

Честно говоря, я самонадеянно полагала, что смогу стричь Шерлока сама, точно так же, как когда-то стригла Кондрата — ножницами, с уговорами и песнями, с воплями и обидами…

Ничуть не бывало: выяснилось, что КЕРНОВ (именно так, судя по интонации и округленным глазам Доры) не стригут, а трим-мин-гуют…

— Что это значит? — осведомилась я слабым голосом.

— Это значит: выщипывают.

— Вы-щи-пы-вают?! Но, боже мой…

— Не волнуйся, это не больно, — отмахнулась Дора. — Для него это просто кейф!

Нет, может, какой-то глупой собачонке это издевательство и показалось бы «кейфом»… но только не Шерлоку. Уже одно то, что тебя ставят на оцинкованный стол, привязывают за шею — для статичности, и близкие, которые клялись тебе в любви еще сегодня утром, хватают тебя за голову и под вопли Доры, облаченной в клеенчатый фартук: «Держи его, черт побери!!! Держи эту избалованную собаку!!!» — держат-таки, и держат крепко, так что и укусить невозможно, а в это время тебя бессовестно раздевают до нитки, лишая самого привлекательного в твоей львиной внешности: твоей роскошной платиновой шерсти с красновато-рыжей полосой вдоль хребта…

Это был мучительный и долгий трехчасовой процесс, в какой-то мере унизительный для нас обоих: я держала его за щеки, он косил на меня ошалелыми карими глазами: «Что это делается, дядь Вась?! О боже! Зачем?! Помогите!!!»

Двор в Козихинском. *2010*

Дрожал от ярости и недоумения, взвизгивал, пытался соскочить со стола… Но все кончается. Оцинкованный стол, пол вокруг, клеенчатый фартук Доры, ее брюки и рубашка — все было усыпано рыжими волосками, а Шерлок… Его жесткий лохматый мускулистый облик преобразовался в какую-то потертую куцую замшевую куртяшку…

Мы возвращались с фермы домой. Борис угрюмо крутил руль, время от времени неодобрительно поглядывая вправо, где на коленях у меня лежал ощипанный, как курица, шотландский наш дворянин. Он все еще дрожал, а я гладила его мягкую замшевую спинку и голосом Сони из пьесы Чехова «Дядя Ваня» повторяла, как заклинание:

— Мы обрастем, мой милый, мы обрастем…

* * *

Самое наше любимое место прогулок — Парк молодежи. Хотя по справедливости надо бы его называть Собачьим парком.

Это огромный травяной амфитеатр в центре нашего городка, спускающийся к открытому бассейну. И вот там-то вечерами, когда спадает жара, происходят самые приятные и важные знакомства в собачьей жизни. Там можно спустить Шерлока с поводка, сесть на траву и наблюдать, как, завидев любого незнакомца, Шерлок сразу же бежит навстречу, раскрыв объятья… Он очень дружелюбен, но в случае чего умеет себя и защитить. На днях я с восхищением наблюдала, как мой отважный щенок оттрепал наглового черного спаниеля Гошу. Наскакивал и наскакивал, угрожая «р-р-р-азорвать вовсе к чер-р-р-ртовой матер-р-р-ри!», пока хозяйка не увела того с поля боя, от греха подальше, прочь от этой «агрессивной пигалицы».

Люди там тоже попадаются, в качестве приложения к собакам. Случаются симпатичные знакомства, да и тем для обсуждения предостаточно — мало ли животрепещущих вопросов в нашей общей собачьей жизни.

Но по-настоящему мы подружились только с Шимоном и его псом по имени Кетч.

— Ты же знаешь, что это слово значит по-английски? — спросил Шимон в первый день знакомства. — Правильно, «поймать». Смотри, я сейчас кину ему палку на другой конец парка, он стрелой побежит за ней и поймает на лету. Оправдывает свое имя... Но знаешь, поймать палку на лету — это всё такие глупости. Он, конечно, хороший пес, но вот моя предыдущая собака — его звали Хантер... тот у меня был особенный. Он был такой же породы, западноевропейская овчарка, и умер в 17 лет. Ты же разбираешься в собаках, да? Знаешь, что эта порода — вовсе не охотники, но тот мой пес был и другом, и сторожем, и охотником... Знаешь, как он умер? Мы были с ним в армии и сидели вот так на поляне, как я сейчас с тобой сижу. Пуля попала в моего пса, прошла насквозь и застряла у меня в боку.

Шимон приподнимает майку, показывая розовый рубец.

— Видишь, какой шрам остался? У меня таких несколько — мы с Хантером повоевали в свое время... Так вот, если бы в тот момент его не оказалось рядом, меня бы сейчас тут не было, это такие пули, знаешь... они не оставляют шанса. Собака умерла в тот же миг, но меня спасла. У меня есть целый альбом фото... и даже видео есть. Я каждый раз плачу, когда смотрю... Ведь мы семнадцать лет провели вместе, почти не расставаясь. Можешь представить себе? Семнадцать лет!.. Этот пес, Кетч, у меня тоже хороший, но его пришлось дольше дрессировать. Сейчас ему два года и три месяца, и он отличный малый, но не тот, конечно, не Хантер. А у меня всю жизнь собаки только этой породы. У моих детей тоже обязательно в доме есть собака. Вон те мальчуганы — видишь, кувыркаются на поляне? — мои внучата. Эти научились говорить слово «собака» раньше, чем «мама» и «папа». Дед их постарался. Я свое дело знаю...

И удаляясь с нашей поляны после целого часа беготни, я слышу за спиной детские голоса в разгаре спора:

— Ты что, не знаешь, как его зовут? Его зовут Холмс, сыщик Холмс!

А и правда сыщик, думаю я, вот ведь нашел он свою резиновую уточку.

* * *

Море он увидел впервые в возрасте трех месяцев.

Как всегда, мы заказали комнату в любимом приморском кибуце, где дуга залива буквально подбирается к самым домикам, а дружелюбные кибуцные псы приходят к вашей веранде пожелать доброго утра, заодно намекая, что не стоит выбрасывать срезанные корочки голландского сыра, а также колбасные обрезки и многие другие ценные вещи.

Там, на высоком холме над заливом, ведут многолетние раскопки студенты кафедры археологии Иерусалимского университета; там древние каменные — в форме гигантского куриного бога — якоря девятого века *до* нашей эры просто лежат на земле среди обломков колонн у входа в музей древней финикийской крепости Дор, которая возвышалась над этой бухтой в незапамятные времена.

Да, в эту бухту приводили свои корабли самые опытные мореходы древности — огненноглазые, огненнобородые финикийцы, которые предпочитали не воевать, а торговать. Здесь заложили они свой порт Дор, и если глянуть с вершины холма, то остатки мощных укреплений до сих пор видны в пронизанной солнцем воде залива. Отсюда с большой высоты ныряют в море кибуцные пацаны с риском разбиться о древние стены...

Мы приехали утром, внесли чемодан в комнату, схватили Шерлока и побежали на берег. Он, почуяв другой воздух, азартно мчался за нами по дорожке между кустами олеандров, как всегда, пытаясь ухватить поводок, затормозить бег, упереться и поиграть... пока не увидел широкую полосу песка, а за ней — нечто невообразимое: бурное, грандиозное, фыркающее белой пеной и рокочущее, как целая стая бульдогов. Он взвизгнул и бросился вперед, остановился, замер как вкопанный... И вдруг разразился оглушительным грозным лаем — вот каким оказался смельчаком! Стоял у самой кромки прибоя и лаял на стихию, которая в секунду могла его равнодушно слизнуть своим гигантским языком.

С тех пор каждое утро мы с Шерлоком прогуливались вдоль берега, где наш пес познакомился с разнообразным шумом волн, впервые оку-

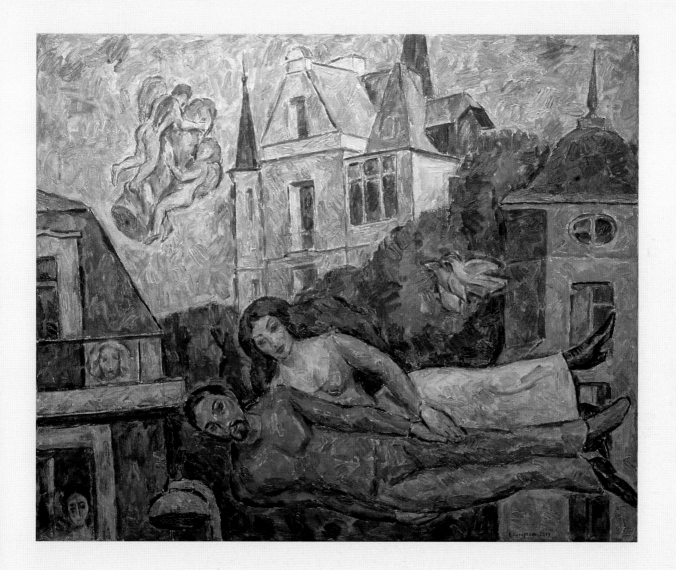

Прогулка по Карловым Варам. *2009*

нул морду в песок и вдохнул романтики полную пасть… Там он гонялся за крошечными крабами, перебегавшими от норки к норке в мокром песке, дивился на огромную, как чемодан, медузу, вынесенную волной на берег и безнадежно таявшую на солнце… Там однажды утром мы с ним наткнулись на мертвую морскую черепаху, совершенно целую, только с окровавленной ластой — видимо, сказал Боря, попала под винт корабля… И наш щенок долго сидел чуть поодаль, опасливо склонив голову набок, не решаясь подойти к морскому чудовищу, столь не похожему на собаку.

Ранним утром и на закате, пока Борис на веранде писал бесконечные морские этюды, пытаясь поймать и запечатлеть состояние воздуха с его неуловимым переменчивым цветом волн и облаков, мы с Шерлоком устремлялись вдоль берега по прихотливой кромке уютных бухточек в сторону электростанции в Хадере — мимо старой полуразрушенной турецкой крепости, мимо рыбачьих лодок с длинными свертками густых сетей, мимо вышек спасателей, что гигантскими журавлями торчат над пляжами, — как обычно, не замечая, насколько далеко зашли… Волны накатывали на берег и слизывали наши следы — босые человеческие и цепкие щенячьи, — а я пыталась вообразить себе некую женщину в той давней, очень давней крепости финикийского порта Дор: как она смотрела в одно из окон и видела приблизительно то же, что видим сейчас мы, я и мой пес: синеву, облака, слепящие блики на гребнях волн.

А солнце всходило, и солнце садилось, и не было ничего нового под ним: те же люди и те же собаки. Мой пес останавливался, когда уставал, и долго смотрел, не шевелясь, на тающий в морской дали парус какой-нибудь прохожей яхты и на белые панамки и кепки на головах студентов-археологов, которые все копали и копали на самой жаре, на гребне древнего холма, где грозно высились в древности башни финикийского порта…

Вот, собственно, и все — пока. Наша совместная дорога лишь в самом начале. Надеюсь, она будет длинной. Радостной. И приведет нас в разные прекрасные местности. В конце концов, как утверждают знающие люди, райский сад расстилался где-то тут, неподалеку.

Наши дни бегут, а я вспоминаю, как из-под ладони глядела сквозь окошко в двери террасы на крошечные комочки новорожденных щенков, замирающим сердцем пытаясь угадать: который мой? Мой-то который? И сладится ли у нас, полюбим ли друг друга... Оно ведь по-разному бывает. Как говорит Узи Барабаш, бывший военный летчик: «Любовь — она штука деликатная...»

Иерусалим, апрель 2011

Суд и милосердие. *2011*

Самоубийца

Анастасии Дергачевой

Место было окраинное и, как любое охвостье любого города, странное и унылое: бетонное здание какого-то ашхабадского НИИ.

Окнами фасада оно выходило сразу на две трамвайные линии, и до самой ночи все предметы в комнате — стол, стул, телефонный аппарат — тряслись от скрежета и звона проходящих трамваев. Зато когда наступала ночь, все пять этажей этого неприглядного дома погружались в такую жуткую, такую покойницкую тишину, что сильнее всего на свете хотелось сбежать — если б то было возможно.

За трамвайными рельсами темнел неухоженный парк, разбитый на месте старого кладбища, — тоже странный и очень тихий ночами.

Сейчас кажется невероятным, что в середине бредовых девяностых кто-то озаботился организацией службы телефона доверия.

Общество Красного Полумесяца (в Туркмении Красный Крест из названия выпал за ненадобностью) снимало в полупустом здании агонизирующего НИИ комнату на первом этаже. Считалось, что мы, недавние выпускники факультета психологии, нарабатываем тут бесценный профессиональный опыт. Начинали в восемь вечера, заканчивали в восемь утра, и две эти восьмерки представлялись мне по ночам безумным кругом призрачной карусели, где застылые кони безостановочно скачут под тревожные разговоры в ничто и никуда…

В большой, неуютной казенной комнате стояли только три разномастных стула и два стола: один огромный для заседаний, другой — кабинетный чиновничий; на нем — телефонный аппарат и журнал, в котором велись записи. Ни штор на окнах, ни настольной лампы. Вздремнуть можно было только на столе для заседаний. Одурев от звонков и бесконечных — бог знает о чем — ночных бесед с напарницей, я взбиралась на стол и с полчаса лежала, вытянувшись под синюшным светом усталых ламп, как пациент перед операцией.

Не знаю, кому пришло в голову поставить на большое окно именно такую решетку: в тюремную клеточку. Но то ли из-за решетки, то ли из-за того, что здание снаружи запиралось и выпускали нас только утром, ощущения и мысли, особенно в первые дни работы, возникали вполне определенные: тюрьма, и сбежать некуда — ни из здания, ни от безнадежных голосов в телефонной трубке; от тоскливого однообразия чужой беды.

Вообще, тот период жизни — довольно, впрочем, короткий, длиной в полгода (потом чиновники про нас отчитались, и мы перестали быть нужны) — сейчас вспоминается со смутной тоской, хотя уходила я из дома на всю ночь с облегчением: мое отношение к мужу металось от раздраженной неприязни до чувства глубокой моей вины. Так уж случилось, что в эти странные ночи уходила я, а не он.

Но самыми странными были утра: сначала светлело решетчатое небо, затем прогромыхивал первый пустой трамвай, проезжали первые машины. Словно по взмаху дирижерской палочки птичьим гвалтом взрывались кроны роскошных парковых чинар… Потом открывалось здание, и нас выпускали на волю. И несмотря на то, что до моего дома шел без пересадки трамвай, я предпочитала идти пешком…

Нет ничего слаще рассветного ветерка, что ворошит челку и дует на лоб, как в детстве мама, прогоняющая дурной сон. Я шла, подставляя лоб милосердному ветерку, чтобы смыл с меня и *прогнал* все ночные телефонные истории, чужие голоса, всхлипы и горловую дрожь, ибо тащить их за собой в собственную — не бог весть какую счастливую — жизнь совсем уже было невыносимо.

Я была переполнена чужой болью, тоской и ненавистью, одновременно — и в этом заключался главный парадокс — чувствуя в душе томительную опустошенность, возможно, потому, что имела дело с голосами, а не лицами. Навстречу шли утренние свежие и бодрые — в отличие от меня — люди; на них приятно было смотреть. И голоса, что донима-

Гадание. *2007*

ли меня всю ночь, то отдалялись, то вновь приближались, и в конце концов таяли и уносились прочь, а я медленно возвращалась к себе, в себя, к своему счастливому несчастью.

Так я шла минут сорок до перекрестка, где стоял жилой дом, одно из окон которого с недавних пор стало для меня тайной приметой.

Это было окно моего старого друга…

Сейчас он живет далеко; так далеко, что, представляя медленные мощные валы океанских вод, которые надо перелететь, чтобы увидеть его лицо вживую, а не на экране компьютера, я бессильно закрываю глаза.

А в те месяцы его окно служило мне приметой удачного — или неудачного — дня. Свет лампы означал, что все сегодня сложится хорошо; а если еще за занавеской маячил мужской силуэт, склонившийся над столом (он учился в вечернем институте и по ночам занимался), можно было надеяться на везение в самых важных делах…

Я была влюблена. Эта влюбленность, отраженная от его школьной безнадежной любви ко мне, настигла меня, как бумеранг, в то время, когда каждый из нас уже обзавелся семьей и ничего нельзя было поправить. У него недавно родились близнецы, и иногда, стоя на тротуаре и глядя в освещенное лампой окно, я видела, как мерно колышет коляску его рука…

* * *

Так вот, телефон доверия.

Работали мы парами — чтоб подменять друг друга, когда наваливается усталость и предрассветное отупение. Имен у нас не было. Вернее, были — придуманные. И это правильно: ты просто голос — просто голос, что носится над телефонной бездной; соломинка для утопающего, луковка из притчи, за которую ангел тащил грешника из ада.

Кстати, меня там звали Адой…

Недели через две после начала работы выяснилось, что те, кто звонил повторно, хотят говорить со мной, слышать именно мой голос. Прощаясь, многие спрашивали: «А ты когда дежуришь в следующий раз?»

Это трогало, даже волновало.

Вскоре у меня образовалась группа своих клиентов. Лежачая бабушка Галина Михайловна звонила перед сном, недолго бормотала тревожные отрывистые фразы, потом засыпала — судя по стуку, трубка вываливалась у нее из рук, и я, услышав храп, отключалась… Старуха была явно не в себе, практически слепа — каждый раз я удивлялась тому, что она вновь смогла набрать мой телефон и помнит имя.

— Ада?! Ада?! — вскрикивала она. — Дайте Аду!

И когда убеждалась, что это я, начинала выбормативать всю свою прошлую жизнь:

— Я ничего не вижу, ничего не понимаю… — заполошно и монотонно бормотала она. — Ничего не вижу… ничего не понимаю… Он сказал: «Галя, будет война…» — и через три дня началась война. Откуда он мог знать? Потом его взяли на фронт, и не было писем от него полтора года… а я попала в эвакуацию на Урал… Там ни еды, ни электричества, собачий холод… и все это было тяжело и страшно… Но потом я поняла: самое страшное не это. Самое страшное, что тает Северный полюс…

Звонили подростки, которым необходимо срочно вывалить на тебя домашние и школьные беды, нестерпимые обиды на родителей и учителей; два-три молодцевато хохмящих идиота — из тех, кто не может спокойно пройти мимо номера на любом объявлении; и целая толпа разнообразно плачущих женщин: чаще всего они звонили после полуночи, тревожно ожидая домой своих мужей.

Самоубийца был один…

* * *

Главное условие нашей работы: ты не имеешь права положить трубку первой. Надо помнить, что одинокий человек дошел до самого высокого порога, за которым — только бурный поток, смывающий мир; а ты — последний адрес, последний голос, что выплыл к нему из пустоты. Значит, разговор длится до тех пор, пока есть надежда, что он тебя слышит. И если очень повезет, тебе удастся переключить его внимание: на жизнь, ее неудачи, неприятности, обиды и даже горе. Для того чтобы снять напряжение, ты подробно — в мельчайших оттенках — интересуешься, что он чувствует, как возникло у него роковое решение и как он утвердился в своем намерении уйти из жизни. И если голос на том конце провода излучает лишь безысходность, ты длишь и длишь разговор, пока состояние собеседника — хотя бы просто от усталости — не изменится...

Это трудно: опыта у меня тогда было — кот наплакал, веры в свои силы — еще меньше, зато мгновенно окатил зубодробительный мандраж, едва я поняла, что звонивший на наш телефон человек находится на пределе сил и на пределе жизни.

И сразу выяснилось, что предел жизни — вот он, на подоконнике.

А теперь представьте, что сидите вы ночью в комнате с зарешеченным окном и говорите о смерти с незнакомым человеком, который на протяжении всего разговора перетаптывается на подоконнике шестого этажа, а вы слышите, как шумят машины у него на улице, и с ледяной пустотой под ложечкой ждете последнего вопля в трубке или — последней тишины...

Говорил он ровно, без эмоций: вот, решил хоть кому-то сказать, что совершает это сам, по своей воле, а не случайно; чтоб не трепали языками — мол, вывалился по пьянке из окна.

Кстати, он был относительно трезв; то есть, конечно, глотнул чего-то, прежде чем на подоконник влезть, но не более того.

Вообще-то нас, психологов, учат, что человек имеет право выбора между жизнью и смертью и что этот выбор его — не наша вина и не наша ответственность. Но все профессиональные соображения куда-то деваются, когда ты начинаешь с ним говорить; от его прерывистого голоса к твоему натягивается тонкий шпагат, на котором ты держишь его так, что напрягается горло, хотя говоришь ты ровным и спокойным тоном, коченеют мышцы шеи и плеч, немеет рука, держащая телефонную трубку. Главное, на протяжении этой бесконечной борьбы ты пытаешься совладать и со своим собственным страхом — что не удержишь, не хватит сил.

Он был старше меня лет на десять, а мне тогда исполнилось двадцать пять. Голос у него был глуховатый и опустошенный — оболочка голоса, словно кто-то уже выдул тепло дыхания из сипловатых звуков, издаваемых голосовыми связками. Он то и дело кашлял — то ли простыл,

Знаки памяти. *2005*

то ли что-то сердечное, — но я ободрилась: хорошая зацепка для начала нормального разговора — два-три вопроса о самочувствии, снижение самоубийственного пафоса...

— У вас там сильный ветер, я слышу?

— Ну да, — отозвался он. — Окно же распахнуто...

Я спросила о причине, которая толкнула его на подоконник, — оказалось что-то банальное, как всегда, банальное и непоправимое: жена ушла к родителям, забрав обоих мальчиков, без которых жить незачем.

— Сколько лет старшему? — Я мысленно подтянула шпагат, протянутый между нами, — еще провисший, никого не спасающий.

— Шесть. Младшему — три года.

— Почему она ушла? — спросила я проникновенно, одновременно раскрывая журнал, в котором мы фиксировали время разговора, темы, мои вопросы...

И он вдруг выпал из своей бесчувственности и горько забормотал что-то о преступной глупости, о бездарных, пошлых, абсолютно ничтожных обстоятельствах...

— Понятно, — сказала я спокойным, понимающим тоном. — У вас другая женщина.

— Да нет! — крикнул он так, что я испугалась, как бы он не свалился от резкого движения. — Разве можно так сказать! Это — оглушение, ошибка, пошлость. Это чепуха, чепуха, понимаете! Разве это имеет какое-то отношение к нашей жизни!

Он сипло кричал, докрикивая через меня, сквозь мой голос то, что, наверное, не успел сказать жене, когда та уходила, судорожно хватая, что под руку попадалось из детских вещей. И в голосе его была такая горечь, что во мне забрезжила надежда: ведь горечь — живое чувство, она *огорчает*, отравляет, но не испепеляет душу.

— Судя по тому, как вы реагируете, — мягко проговорила я, — самому вам причина, по которой жена ушла, не кажется чепухой?

В эти минуты, лихорадочно вспоминая правила работы с *суицидентами*, я пыталась, как в конспектах было написано, говорить ровным умиротворяющим голосом. Я помнила все эти правила: что оттоваривать нельзя, упоминать возможные зацепки за жизнь; нельзя взывать к чувству вины или упрекать в слабости... Есть специальные приемы: вы прислушиваетесь к дыханию в трубке и подстраиваетесь под него, постепенно его — дыхание — успокаивая… Только не чуяла я ничего — из-за шума машин, звонков трамваев и змеиного ветра, шипящего в ветвях за окном. Да и в нашем окне ветреная ночь безжалостно тискала кроны деревьев в парке.

— У нас тут тоже ходят трамваи, слышите? — спросила я.

И стала писать в журнале… Фиксация беседы с клиентом телефона доверия всегда выглядит нелепо и неловко — как человек, застигнутый при переодевании в кабинке на пляже. Да я и не Цезарь — три дела одновременно делать; но тут уж не до удобства: надо во что бы то ни стало ухитриться писать, слушать и говорить одновременно. Самым трудным было говорить медленно и уравновешенно.

Сейчас у меня большой опыт, а в ту ночь я действовала интуитивно, ровным тоном показывая ему, что совсем не боюсь, хотя с первой же его фразы поняла, что имею дело с человеком *решившимся* и что времени нам с ним отпущено совсем немного.

— Какой у вас этаж? — поинтересовалась я, сдерживая противную дрожь в голосе.

— Шестой, — сказал он. — Вполне достаточно, чтобы…

— Внизу — асфальт, трава?

— Тенты над витринами. Это не помеха…

Мы еще обсудили — что там внизу; я судорожно придумывала вопросы, он бесстрастно и спокойно отвечал. Нельзя было заострять его внимание на том, что внизу: с высоты смотреть трудно, в конце концов хочется прыгнуть.

— Вы думали о том, кто вас найдет?

— Ага, — отозвался он. — Главное, что ночь, детей вокруг нет. Неохота им демонстрировать, что бывает, когда череп раскалывается, правда? Заберут, увезут в морг — соседи меня знают, я ж здесь вырос…

— А хоронить кто будет?

— Ну, это, знаете, мало меня заботит, — сказал он. — Да что вы беспокоитесь? Или просто интересно? Тогда скажу: я мужик вполне, как говорится, состоявшийся, у меня друзей полно, приятелей, коллег… так что всего этого барахла… ну, этих венков-памятников будет навалом… Это все будет о'кей. Родители, слава богу, померли. Сеструха — та уж точно переживет. Как бы не стала судиться с Таней за квартиру родителей, мы в ней живем… жили… А Таня… ну, если она могла зачеркнуть всю нашу жизнь — понимаете? — всю жизнь… то она тоже как-нибудь переможется…

Минут двадцать мы обсуждали другие способы самоубийства. Он сказал, что обдумывал все два дня, и вот это — прыжок — самое для него простое, *привычное* — он три года занимался прыжками с парашютом. Сказал: это просто, наработано — шагнул и *кочумай* — и добавил:

— У меня прилично прыжков на счету… Могло же всякое быть. Мог когда-то и парашют не раскрыться…

— Вы думаете, это одно и то же?

— Да какая разница, — устало отозвался он. — Ладно, не хочу долго морочить вам голову…

— А как вы выглядите? — перебила я его, мысленно натягивая тонкий шпагат между нами до звенящей, почти осязаемой струны. — Пытаюсь представить вас, не получается. Вы могли бы себя описать?

— Господи, да зачем это… Вас действительно интересует или так положено спрашивать?

— И положено, — честно ответила я, — и самой важно: я терпеть не могу телефон за то, что лица собеседника не вижу. Голос — это дым, ничто… Отзвучал и растаял. Опишите себя, а?

— Нечего описывать… Среднего роста, волосы русые. Лицо… ну… самое заурядное. Таких, как я, в любом трамвае штук десять.

— И все же, мне кажется, вы должны нравиться женщинам…

— Да что вы, — равнодушно возразил он. — Никогда не мог понять, что во мне Таня нашла… Просто привыкла, наверное: с детства вместе.

Икры у меня под столом свело от судороги. Зуб на зуб не попадал, но я держала и держала его на этом шпагате, мысленно навалившись грудью на стопы его ног (он был в кроссовках, как выяснилось по его описанию). И тупо смотрела в наше окно, закрытое железной тюремной решеткой, остро сожалея, что не могу усилием воли перенести ее на окна его квартиры.

Несколько раз он пытался отделаться от меня, я слышала по голосу, как его с головой накрывает вал тоски и усталости, и вновь, усилием воли замедляя свой голос, задавала следующий вопрос… Наши голоса боролись над бездной; его пытался вывернуться, выскользнуть, улететь… мой — оплетал, как удав, завязывая узелки на шпагате, цепляясь за каждый повод, придумывая все новые повороты темы.

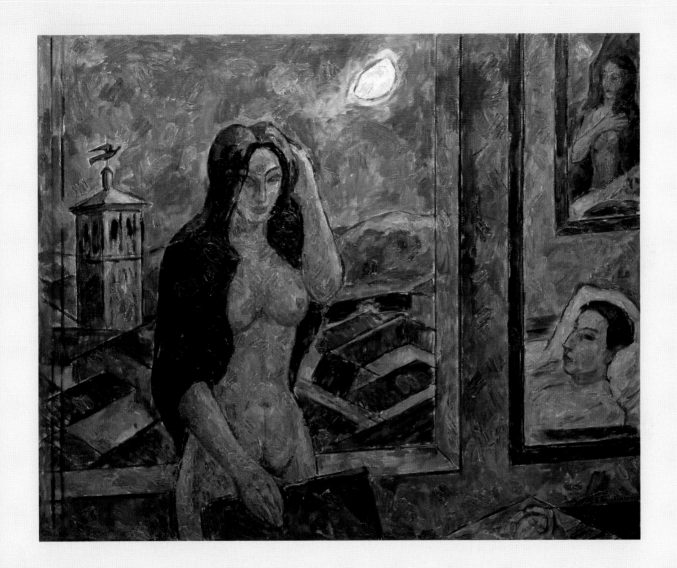

Ночное окно. *2009*

Через час мы неожиданно перешли на «ты», когда случайно в разговоре выяснилось, что учились в одной школе, только он, разумеется, закончил на десять лет раньше. У него с женой, понимаете ли, школьная еще любовь. Сидели за одной партой.

— Ну знаешь, — сказала я. — Десять лет за одной партой — это сильно. Это посильнее, чем десять лет в одной постели.

Он опять закашлялся, а я испугалась — сейчас оступится!

— У тебя голос прерывается, — сказала я. — Слышу, как трудно тебе говорить. На твоем месте я бы глотнула че-нить горячительного... Есть что-то под рукой?

Я бы и на своем месте глотнула... да что там! — залила бы в себя хороший стакан водки, чтобы унять дрожь во всем теле.

Внутри у меня скрутилась воронка боли. Свело желудок и отдавало в низ живота — туда, где за полгода до того благополучно был вырезан аппендикс; прижимая ладонь к ноющему шву, слегка раскачиваясь и слегка раскатывая слова во рту, я приветливо и спокойно интересовалась — не холодно ли ему там, на ветру? Что он чувствует? Жжет ли внутри, или просто щемит сердце?

Мы говорили — так в журнале записано, и значит, это правда, хотя сейчас не могу поверить — 4 часа 23 минуты. Самым страшным был миг, когда он вдруг обо мне обеспокоился — не устала ли я. С одной стороны — знак хороший, переключился, значит; с другой стороны — я вдруг ясно увидела, как шагает он с подоконника, чтобы меня и дальше не утомлять.

Впервые маячок надежды на то, что мы выкарабкаемся, мигнул мне, когда он заплакал.

Это была фаза в разговоре, когда я перешла к темам, практически у нас запрещенным: нельзя давить на суицидента, используя его чувства к детям. Но я вконец обессилела и готова была сползти на пол. Я ненавидела его и боялась за него до ужаса. И спросила:

— А сыновья — который на тебя похож?

Он умолк, будто кто внезапно сдавил ему горло. Потом шумно сглотнул и сказал:

— На меня-то похож старший. Хороший парнишка. Самостоятельный такой, спокойный... Но младший у меня, трехлетний — ох, это огонь! В Таню с головы до ног. Все ему нужно, до всего есть дело… и такой философ!.. На днях говорит: «Бесполезная моя жизнь. Я ничего не умею. Не умею даже играть на скрипке…»

И вот после этих слов — он заплакал, и у меня перехватило горло: это уже была крошечная победа над шестью этажами пустоты.

Я сказала:

— Такие яркие дети обычно бывают очень трудны. Потом. В переходном возрасте. Через какие-нибудь лет десять…

— Да, — ответил он, помолчав. — Ты права, конечно. Но все бесполезно. Таня не простит и не вернется… И не даст мне их видеть — она предупредила.

— Это как сказать, — мягко возразила я. — Такие женщины своим кровным не бросаются.

— Думаешь? — спросил он.

И я неожиданно для себя проговорила бесшабашным тоном:

— А знаешь… я бы отомстила!

Там повисла пауза — я даже испугалась, что пережала, полезла в дебри, куда лишь двоим позволительно забираться. Он помедлил и спросил:

— Кому?

— Да той гадине, которая ей доложила.

Он издал странный звук — сдавленный смешок или фырканье. Я с надеждой прислушивалась: это уже было похоже на жизнь.

— Да я — та самая гадина и есть, — сказал он просто.

Тут уже опешила я. Не знала, как реагировать. Но говорить было необходимо, во что бы ни стало надо было говорить, говорить — завязывать узелки, не ослаблять натяжение шпагата.

— А… как же… как это произошло?

— Да просто: протрезвел и взвыл. Знаешь, на деревенских свадьбах бывает: один гость звезданет другого по пьяной лавочке кулаком в висок, тот — с копыт долой. А убийца протрезвеет… и что оказывается? Что убитый — его двоюродный брательник. И идет он по улице в наручниках, меж двух мильтонов, мотает башкой и воет… Так и я: проснулся после проклятого Серегиного «мальчишника», увидел эту… это тело рядом с собой, паскудство это, и… ка-а-ак шарахнет меня! Понял — не могу! Не смогу это в себе нести. Пришел домой, разбудил Таню и вывалил все, как исповеднику… Я ж привык все ей нести. Ты не представляешь, что она обо мне знает… все! Даже то, что пацаны всегда и ото всех держат в тайне. Думал — освобожусь, очищусь, все забуду… Дурак, да?

— Да! — искренне согласилась я, опять-таки против всех правил. — Но, знаешь… я бы дала ей время с этим разобраться. Как психолог тебе говорю. Сейчас она, конечно, взбаламучена, растерзана, да просто убита… Но потом обязательно вспомнит, что ты, дурак, сам все выложил, а это — что значит?..

— Что? — быстро переспросил он, и по тому, с какой жадной торопливостью он выхватывал мои слова, я знала уже, что он мой, мой, надо только снять его с проклятого подоконника, чтоб не свалился уже случайно…

— А то значит, что для тебя для самого это… как обвал, как сель в горах… Верная примета, что ты никогда прежде не изменял, что это противно самой твоей природе… И выходит, что… — я судорожно перевела дух. — Да по-моему, она просто решила встряхнуть тебя как следует. Отметелить так, чтоб на всю жизнь запомнил!

— Ну да… — с сомнением и надеждой протянул он. — Ты моей Тани не знаешь. Она никогда ничего не просчитывает. Никогда! Это такой огонь!

— Огонь, огонь… Погорит и перегорит… Дети про папу раз спросят, другой… Такие женщины к поражениям не привычны.

Язык мой заплетался, веки отяжелели и опускались, в горле пересохло.

Я продолжала говорить и говорить, и спрашивать, и возражать, не допуская в голосе ни малейшего всплеска раздражения или отчаяния… Тихонько подтягивала шпагат. За луковку, за луковку вытягивала…

В какой-то момент я увидела, что небо за решеткой стало бледнеть, будто кто-то усердный протирал его и полировал до прозрачности. Еще не голубое, а голубиное, сине-сизое, оно ширилось и набухало за решеткой, билось об нее крылами в надежде пробиться в день…

В эти вот мгновения я ощутила такое обморочное изнеможение, точно много дней без еды и питья пересекала пустыню; почувствовала, что мои собственные силы на исходе и минута-другая — я просто отпущу его, не в состоянии дольше натягивать этот свой воображаемый шпагат.

Тогда, закрыв глаза, из последних сил я вскарабкалась к нему на подоконник, обняла спину, прижалась покрепче и потянула назад, чтобы мы с ним в обнимку упали в комнату…

Воспоминания. *2007*

И тотчас — трудно сейчас в это поверить, но помню я об этом много лет — он произнес:

— Светает… Кончилась ночь!

И я услышала пружинный стук кроссовок: он спрыгнул с подоконника на пол.

Затем ему, видимо, стало совсем неловко; он скомканно попрощался и положил трубку.

Я сидела, откинувшись на спинку стула, и глядела в стену невидящим опустошенным взглядом… Внутри меня жужжал, стихая, тугой завод невидимого механизма. Безумная карусель замедляла ход, притормаживая свой бег в никуда и ничто…

Так и просидела минут сорок, бессмысленно глядя в стену — только бы не в окно. Прогремел первый трамвай, зачирикал, закаркал, засвиристел оголтелый хор птичьих стай в кронах утренних чинар.

Напарница вскипятила воду, заварила чай и молча поставила передо мной стакан, всыпав туда четыре ложки сахару. Странно: я совсем забыла, что кроме меня в комнате кто-то есть…

В восемь нас, как обычно, выпустили, и, дождавшись трамвая, я поехала домой.

Я не могла смотреть на окна.

И ни разу больше не возвращалась той дорогой, мимо дома с дорогим для меня окном, где мужской силуэт за занавеской мерно качал коляску с новорожденными близнецами.

Но сегодня, спустя много лет, когда мы говорим с моим другом по «скайпу», преодолевая мощные валы океанских пространств, в памяти нет-нет да всплывают те давние окна: большое, забранное тесной тюремной решеткой, и другое, освещенное домашним светом настольной лампы; а еще — то неизвестное, как сейчас говорят — *виртуальное* окно шестого этажа, где на подоконнике я, как библейский Иаков, всю ночь до зари боролась со смертью; боролась — и победила.

Иерусалим, ноябрь 2011

Одиночество. *2010*

В мастерской художника. *2003*

Рената

Я помню ее в раме окна. Не настоящего окна, а проема, вырезанного в фанерной стенке артистической гримуборной, — чтобы те из артистов, кто лишь готовится к выходу, могли следить за происходящим на сцене. Это был наш совместный вечер в Нетании. Рената выступала первой, а я в фанерный проем смотрела на ее потрясающую мимику и точно выверенную жестикуляцию — хотя со стороны могло показаться, что она слишком размахивает руками.

Выступала она убийственно смешно. Точно помню, о чем рассказывала в тот раз: о друге, который репатриировался в Израиль с двумя проектами: дешевым и суперзатратным. Дешевым был проект самораскрывающегося зонтика над автомобилем, дабы уберечь личный транспорт от дождя, а затратным — проект экскаватора, что вгрызается с моря в сушу, прорывая в ней каналы… Зал грохотал, я плохо слышала — звук уносило на публику, но движения Ренаты, мимика ее завораживали и в моем воображении остались, как ряд фотографий в рамках.

Среди ее историй, рассказанных мне в долгих телефонных разговорах и оставшихся в беглых записях на счетах за электричество и воду, есть история про журналистку, которая собралась написать статью о недавно ушедшем Борисе Заходере и по этому поводу напросилась к Ренате в гости — «задать пару вопросиков». «Вопросики ее оказались ужасными», — призналась Рената.

— Говорят, он был страшный бабник? — спросила журналистка. — Говорят, ни одной юбки не пропускал…

— Меня пропустил, — ответила Рената.

— Но он был тяжелым человеком…

— Возможно. Но тридцать четыре года меня это устраивало.

«Вероятно, стоило ее послать к черту, но духу не хватило, — сказала она. — Я просто пыталась сохранять достоинство, хотя не очень хорошо в этом тренирована. Лучше всего я сохраняю достоинство молча».

…Не могу простить себе, что так и не уговорила ее записать блистательные устные рассказы, случаи и сценки, как бы «вдруг» пришедшие на память в разговоре, но абсолютно, филигранно отделанные, до мельчайших деталей и примечаний.

Сейчас говорю себе: в конце концов, надо было их украсть, записать самой и напечатать. Хотя, конечно, без ее неподражаемой интонации, мягкого украинского придыхания, без этих эмоциональных взлетов ее взрывной и одновременно певучей речи многое пропадает.

Сколько их пропало, летучих шедевров неописуемой, искрящейся Ренаты Мухи!

У меня есть предисловие, написанное к ее книге: «Я познакомилась с Ренатой Мухой по телефону — то есть была лишена основной зрелищной компоненты: не видела ее жестикуляции. Ее рук, взлетающих и поправляющих на затылке невидимую кепку, очерчивающих в воздухе арбуз, то и дело отсылающих слушателей куда-то поверх их собственных голов, а иногда и пихающих (если понадобится по ходу рассказа) соседа локтем под ребро.

Вообще, Рената Муха — это приключение. И не всегда — безопасное. То есть все зависит от репертуара. Например, отправляясь с Ренатой в гости в почтенный дом, набитый дорогой посудой, надо помнить о бьющихся вещах и внимательно следить за тем, чтобы никто из гостей не попросил ее рассказать о покойной тете Иде Абрамовне. Потому что это все равно, что попросить Соловья-Разбойника насвистать мотивчик колыбельной песни, — сильно потом пожалеешь.

У каждого уважающего себя рассказчика есть такой коронный номер, который срабатывает безотказно в аудитории любого возраста, национального состава и интеллектуального уровня. У Ренаты — рассказчицы бесподобной, профессиональной, дипломированной — есть номер об Иде Абрамовне. Такой себе монолог еврейской тети. Опять же, у каждого эстрадного номера есть эмоциональная вершина. Эмоциональная вершина в монологе Иды Абрамовны совпадает со звуковым и даже сверхзвуковым пиком рассказа.

Моцарт в Карловых Варах. *2010*

«…И он видит меня идти и говорит: "Ах, Ида Абрамовна-а-а-а-а-а!!!!!..".» Представьте себе самолет, разбегающийся на взлетной полосе, быстрее, сильнее, и — колеса отрываются от земли — взлет!!! Так голос Ренаты взмывает все выше, пронзительнее, громче… Ослепительное по сверхзвуковой своей силе «А-а-а-а-а-а-а!!!!» крепнет, набирает дыхание, сверлом вбуравливается в мозг — длится, длится, длится…

Каждый раз я жду, что упадет люстра. Или взорвется осколками какой-нибудь бокал в шкафу. Или у кого-то лопнут барабанные перепонки.

Слушатели обычно застывают, окаменевают, как при смертельном трюке каскадера».

* * *

Под конец, когда я уже ясно понимала (хотя и надеялась, надеялась — ведь она так отважно сражалась с болезнью!) — понимала, что развязка не за горами, я стала записывать наши телефонные разговоры. Голос ее слабел, но ирония, словесная меткость, образность речи нисколько не потускнели.

Перебирая эти беглые записочки на случайных конвертах, счетах, четвертушках бумаг, я натыкаюсь на какие-то записанные мною фразы из разговоров, вроде этой, часто произносимой старой нянькой Ренаты: «Нэ робы, як ты робыш, и нэ будь такой, як ты е!» — и не помню уже, не помню, по какому случаю их записала. Не могла же я сказать ей: «Рената, помедленней, пожалуйста, я записываю!» А может, так и было нужно?

Есть и целые рассказанные ею эпизоды, вроде истории с их другом, врачом из Германии, которого однажды немецкая полиция подвергла интересному наказанию: «Понимаете, Дина, вообще-то он врач и к тому же святой человек. Это трудно совместить, но у него получается… Так вот, на днях он ехал домой и смеялся, вспомнил за рулем что-то смешное. Оказывается, этого в Германии нельзя. Его остановил дорожный патруль, его сфотографировали и фотографию повесили на такую доску — она есть в каждом районе, как у нас раньше, помните: "Они позорят наш район!". В Германии обычно на таких вывешивают фотографии проституток…»

Успела записать еще один эпизод: про то, как в молодости на телевидении в Харькове Рената участвовала в программе по изучению английского языка. Играла в «разговорных» сценах то официантку по имени Наташа («была очень убедительна, что вы думаете!»), то еще какую-нибудь четко говорящую по-английски куклу.

— И вдруг директора программ, редактора, главного редактора и режиссера передачи, а также меня вызывают в Обком. Не Рай! И не Гор, Дина! А Об-ком. Харьков большой город… «Получили анонимный сигнал о вашей передаче», — говорит Дурасиков. Был такой инструктор. Любил мальчиков, что никому не возбраняется, но одного утопил в бассейне, что уже хуже… Однако все это выяснилось позже, а в тот момент он высадил нас всех по ранжиру и говорит: мол, получили письмо от трудящихся, в котором такая фраза: «И вот эта Наташа с ее глупыми глазами, у нее такой вид, как будто хочет сказать — ой, как я сама себе нравлюсь!».

Рената делает паузу.

— И все эти милые люди, Дина, — продолжает она мягким и даже меланхоличным тоном, — и директор программ, и редактор, и режиссер передачи… вдруг обосрались. Они перестали на меня смотреть. Инструктор Дурасиков их спрашивает: «У нее глупые глаза?»

Я поднялась и сказала: «Нет. Умные».

И все эти кролики замерли и затряслись. Дурасиков помолчал, прокашлялся, выпил воды из стакана и сказал: «Тогда ладно…»

Есть у Ренаты и обо мне два устных рассказа.

Один — про то, как мы познакомились «вживую». Она живет в Беэр-Шеве, я — под Иерусалимом. В переводе на российские пространства это все равно, что Сочи и Екатеринбург. Но однажды меня пригласили выступить в Беэр-Шеве. Я и поехала с намерением непременно побывать у Ренаты Мухи.

Так вот, это убийственно точный по интонации, хотя и придуманный от начала до конца устный рассказ. С выкриками, вздохами, жестами, комментариями в сторону. Буквально все это я передать не могу, могу только бледно пересказать.

Итак, я впервые являюсь в дом, в «знаменитой» широкополой шляпе, с коробкой конфет и подвявшим букетом цветов, которые мне подарили на выступлении.

И вот «папа Вадик» (муж Ренаты — Вадим Ткаченко) расставляет стол, сын Митя что-то там сервирует... а Рената «делает разговор». Я при этом изображаюсь страшно культурной элегантной дамой, даже слегка чопорной. Кажется, даже в лайковых перчатках, каких сроду у меня не бывало.

Рената, которая волнуется и хочет «произвести на эту селедку впечатление», начинает рассказывать «про Гришку» (есть у нее такой уж точно смешной рассказ).

— И тут я вижу, что Динино лицо по мере повествования вытягивается, каменеет и теряет всяческое выражение улыбки. Я продолжаю... Рассказ к концу все смешнее и смешнее... Трагизм в глазах гостьи возрастает. Что такое, думаю я в панике, ведь точно смешно! Заканчиваю... И вы, Дина, замороженным голосом, сквозь зубы говорите: «Рената, какая же вы блядь!» Ничего для первого раза, да? А?! — (Ее любимый выкрик: «А?!») — И когда я осторожно так замечаю, что в моем возрасте это, пожалуй, уже комплимент, и интересуюсь, чем, так сказать, заработала столь лестное... Дина сурово обрывает: «Вы хотите сказать, что этот рассказ у вас не записан?» Я отвечаю: «И этот, и все остальные». Дина с каменным лицом: «Конечно, блядь!»

Самое смешное, что этот рассказ основан на моем действительном возмущении: каждый раз я — письменный раб, пленник кириллицы, — услышав очередной виртуозно детализированный, оркестрованный колоссальным голосовым диапазоном устный рассказ Ренаты Мухи, принималась ругать ее:

— И это не записано?!

Второй рассказ, — про то, когда я приезжаю в следующий раз, — еще пикантнее.

Как Рената открывает мне дверь и я спрашиваю с разгоряченным лицом:

— Рената, почему у вашего соседа яйца справа?

Якобы я ошиблась дверью, мне открыл сосед на нижней площадке, и он был в трусах. И что в этом вопросе якобы никакого криминала нет. Оказывается, все английские портные-брючники, снимая размеры, непременно спрашивают клиентов: сэр, вы носите яйца справа или слева?

...И вот, переночевав у Ренаты, наутро я ухожу, цветы оставляю, конфеты забираю с собой...

Моцарт. Сочинение Ре-мажор. *2010*

В этом месте рассказа я всегда подозрительно спрашивала:

— Конфеты?! Забираю?! Как-то не верится. Это не про меня…

Рената сразу поправлялась:

— Или оставляете… Конфеты, впрочем, говно — кажется, «Вечерний Киев»… За вами захлопывается дверь, и тут мы слышим страшный грохот! Поскольку вы явились в каких-то умопомрачительных туфлях на гигантских каблуках, то вы и грохнулись как раз под дверью соседа с яйцами. И правильно! Нечего заглядывать, куда вас не приглашают!

* * *

— Понимаете, Дина, папа Вадик — большой математик касательно интегральных и дифференциальных эмпирей… Но вот когда кило рыбы стоит, положим 19 шекелей, и сколько тогда будет стоить полкило — этого он не может… А я могу только рыбу посчитать. Взять хотя бы эпопею с продажей квартиры. Дина, вы знаете, что такое маклеры — это племя особей, которые считают себя особыми психологами… Ну и Вадик осел под первым же маклером…

Тут надо отдать отчет, что квартира у нас плохая. Район тоже плохой. Вы знакомы с соседом, что живет под нами, — тот, который с яйцами. Наверху живет алкоголик. Я не знаю, где он носит яйца, и даже не знаю, есть ли они у него.

Раньше там жила хорошая женщина, отошедшая от дел, — ремесло ее было горизонтальным. Она была уже тяжело немолода. Приезжала на такси и у дома говорила таксисту, что денег у нее нет, но, если он хочет, она может расплатиться иным способом. А таксисты, знаете, Дина, они легки на подъем… Во всяком случае, когда человек на время поднимается и потом спускается — я полагаю, он не ремонт ходил смотреть.

Так вот, сейчас в этой квартире поселилась марокканская женщина. Муж не обозначен.

— Это ужас! — говорю я искренне…

Рената умолкает и, тяжело вздохнув, говорит:

— Да, Дина, это большой, и страшный, и непредсказуемый ужас. Главное — непредсказуемый. Вот, положим, у вас горе: в квартиру по соседству въехала эфиопская семья. Это горе. Но предсказуемое горе: ну, там, они варят селедку, нежно кричат с утра до вечера пронзительными голосами — все это привычно и понятно… А марокканская женщина… помимо того, что она выбрасывает мусор из окна, у нее такое племенное качество: она развешивает белье, не ведая, что на свете существуют прищепки. В связи с чем ветер сносит подштанники и огромные бюстгальтеры вниз, все дерево под нашим окном увешано подштанниками. Дина, вы помните такое произведение для детей — «Чудо-дерево»?..

* * *

Рената преподает в университете в Беэр-Шеве. На какой-то мой невинный вопрос о работе следует мгновенная зарисовка про коллегу из Индии. Та ходит в черном сари и сама очень черная.

— Оказывается, в Индии тоже есть евреи, и это, Дина, уже серьезно.

Так вот, эта еврейская индианка в зарисовке представляется абсолютной параноичкой.

Подходит она к Ренате и заявляет: «Рената, вы тут единственная леди! Остальные все — негодяи. Тут сплошной харассмент. А нас с вами преследуют из-за цвета кожи».

После этих слов Рената выдерживает паузу и говорит безмятежным голосом:

— Она абсолютно черная. Меня вы видели… И я совершаю ужасную ошибку, которую делать нельзя, — я начинаю ее переубеждать и уговаривать, что не все негодяи. Параноиков, оказывается, отговаривать нельзя. Надо соглашаться, что харассмент, и все негодяи, и по цвету кожи…

«Ну, — говорит еврейская индианка, — посудите сами, как же не харассмент! Вот мы едем вчера в машине, — (Завкафедрой, — вставляет Рената, — которая главная негодяйка, ежедневно после занятий развозит безлошадных педагогов по домам на своей машине, вероятно, из врожденной подлости), — и вдруг полицейский останавливает машину и мне одной — мне одной! — говорит: у вас не пристегнут ремень!»

«Что вы говорите? Вам одной? Почему?»

«Потому что у других он был пристегнут…»

* * *

Жемчужина среди ее устных рассказов — миниатюры о тете Иде, одесской тете Иде, Иде Абрамовне, — у которой на гастролях Театра Моссовета останавливалась сама Раневская.

Раневская, которая не признавала никаких эстрадных писак, — она писала свои тексты сама, из жизни, потому что знала, чего хотела, — поняла, что в лице этой женщины она имеет бриллиант. Достаточно было послушать, как тетя Ида проклинает непочтительного соседа:

— Азамен (эдакий) сифилистик! Азамен мерзавец! Азамен неуважение к женщине!

Рената утверждает, что тексты ролей Раневской пересыпаны словечками и выражениями тети Иды.

— Когда в детстве меня привозили на лето в Одессу, тетя Ида имела цель в жизни: ребенок должен вернуться поправленным. Что значит «поправленным»? Чтоб «терли ножки»! Для этого: каждый день гоголь-моголь мит дем булочкис, мит дем масло, мит дем мед. И вот на этом деле, — говорит Рената, — я была поправлена на всю жизнь.

Обряд кормления проходил так: тетя Ида брала газету и торжественно зачитывала передовицы.

Но если это не помогало, тогда выпускали Розочку. Розочка, как известно, была замужем за начальником ОРСа. Вы, Дина, маленькая, вы не знаете этого магического слова. Начальник ОРСа! Отдел Рабочего Снабжения! Все слова произносятся стоя. Он был большим начальником, и «дер коммунист в придачу», но по части секса, как я понимаю, не дотягивал.

Розочка говорила мне вкрадчивым голосом: «Если ты съешь ложечку, я расскажу тебе, как вчера мы гуляли со Стасиком».

Мужа, «дер коммуниста в придачу», звали Миша.

«Если ты съешь ложечку, я расскажу тебе, откуда берутся такие синяки..» — и она осторожно спускала бретельку с плеча.

А я открывала рот…

* * *

Больше всего я люблю рассказ Ренаты Мухи о том, как в эвакуации в Ташкенте тетя Ида выкармливала народного артиста.

Городок в Голландии. *2008*

В администрации театра ей сказали: «Подкормите его, нам надо его подкормить. Он вас озолотит». А ему сказали: «Мы дадим вам женщину, что у вас еще не было такой женщины!»

И тетя Ида стала выкармливать народного артиста. Она продала свои золотые сережки. Всю ночь в эротических мечтаниях она придумывала все новые еврейские блюда. *Штрудл! Штрудл-вертячку,* большую простыню раскатанного теста, которую подбрасывают на руках. Это умели не все хозяйки. Тетя Ида умела. *Манделех! Манделех* в курином бульоне!

Дети — Рената и двоюродный брат Мишка — припухали с голоду.

Бабушка брала в руки топор, стояла над ребенком, который не хотел есть жмых, и говорила: «Ешь, майн кинд, а то я пойду за госпиталь. Там есть яма, куда от операций выбрасывают руки и ноги, принесу сюда и брошу на стол руку мертвяка!»

Артисту варили курицу, детям не давали. Рената помнит каждый пупырышек на нежной коже этой золотистой курицы!

Артист приходил, садился за стол. Тетя Ида препоясывалась чистым полотенцем, и пышная невеста плыла в ее руках к обеденному столу.

Артист кушал, опускал глаза, хвалил еду и, уходя, говорил большое спасибо.

Наконец наступил последний день «кормления».

Все собрались в своем огороженном простыней углу, который снимали у раскулаченных.

Артист явился, поел, похвалил, как всегда, еду, поднялся, пожал, опустив глаза, руку тете Иды.

И ушел.

Ушел…

Они — две женщины и дети — сидели и долго смотрели друг на друга.

Взрослые, конечно, знали фамилию этого знаменитого артиста. Но при детях она не произносилась в семье никогда.

Поэтому уже взрослым человеком, оказавшись в каком-нибудь московском театре, Рената каждый раз шла к фотографиям в фойе и всматривалась в лица — этот? Этот? Может, этот? И не узнавала.

Она не любила театры. И не любила народных артистов.

Самое смешное, что брат Мишка, который припухал вместе с ней в ту холодную ташкентскую зиму, стал артистом, причем московским. Приезжая к нему в гости, она приходила к нему в театр и точно так же, выманивая его после спектакля в уже пустое фойе, водила к фотографиям и спрашивала: «Мишка, а не этот ли?»

Седой оплывший Мишка всматривался в знакомую ему уже тридцать лет фотографию с новым интересом, пытаясь оживить в памяти тот день последнего кормления, ту последнюю райскую курицу, уплывающую под взглядами детей в жующий рот народного артиста… и говорил наконец:

— Нет. Не он!

* * *

Есть у меня записанный с ее слов рассказ про то, как она победила болезнь в первый раз, много лет назад, хотя американские врачи давали ей сначала три недели жизни, потом — три месяца… («При этом они все время улыбались, Дина!»)

Когда после операции она очнулась от наркоза, над ней стоял улыбающийся профессор. Он сказал:

— Рената, у меня для вас отличные новости. Я думаю, что у вас впереди несколько хороших лет. Есть ли у вас вопросы? — спросил он.

— Есть, — сказала Рената. — Один. Филологический. У нас в институте однажды на семинаре возник спор, как следует понимать знаменитое английское «несколько»: один-два? два-три? Или все-таки семь-восемь?

— Знаете, — помедлив, произнес профессор, — я в этом бизнесе сорок лет, и чудес пока не встречал. На вашем месте я бы считал, что «несколько» — это два-три, и не строил иллюзорных надежд, что это семь-восемь… Мой вам совет: не начинайте ничего нового, завершите все для вас важное и совершите то, что всю жизнь хотели сделать, но откладывали на потом.

Повернулся и вышел.

И затем последовали долгие недели мучительного лечения, в течение которых — я отлично представляю это, зная Ренату! — она покорила, завоевала своим неисчерпаемым обаянием весь медицинский персонал.

Когда выписывалась, явилась на прием к своему профессору, который должен был дать ей последние наставления.

— Рената! — сказал он на прощание. — Я благодарю вас за ваши усилия по очеловечиванию американской медицины.

И когда она уже взялась за ручку двери, он окликнул ее:

— Рената! Вы помните, что я сказал вам по поводу этих «несколько»? Так вот, повторяю: я сорок лет в своем бизнесе и с чудесами не сталкивался ни разу. Но если все-таки когда-нибудь такое чудо произойдет, оно произойдет с вами.

И чудо произошло, и Рената много лет после той операции жила полноценной яркой творческой жизнью, написала много замечательных стихов, объездила много стран, преподавала, выступала, дарила любовью и дружбой множество людей: совершала немыслимые усилия по очеловечиванию мира.

И когда несколько лет назад болезнь возникла снова, у Ренаты уже был опыт борьбы, успешной борьбы. Возможно, именно поэтому она не сдавалась так долго.

Иногда казалось, что она наблюдает со стороны за своей собственной борьбой за жизнь.

В одной из телефонных бесед:

— Вот эта болезнь, которой я болею, она очень добросовестная. Сначала у человека выпадают волосы, потом всякие другие приспособления для нормального существования… и если вы думаете, что человеку не нужны ногти…

По настоянию младшего сына они поехали в Америку — за «вторым мнением».

Беседуем с Ренатой после возвращения:

— Ну что ж, мы убедились, что израильские врачи ни разу не оказались отставшими. Меня послали на генетический анализ — это там сейчас модно. Кроме того, подвергли строжайшему допросу на предмет того, умер ли кто в семье от рака. А у меня, надо вам сказать, Дина, буквально все со всех сторон умирали от рака. И вот сидит американская врачиха, профессиональная улыбка до ушей, задает вопросы:

«От чего умерла ваша мать?»

«От рака».

«Какой она была расы?»

«Еврейской».

«От чего умер ваш отец?»

«От рака…»

Вид на Толедо. *2007*

Далее следовали вопросы о племянниках, сестрах, братьях, которые все исправно помирали от рака. А врачиха все держала на лице широкую улыбку.

«От чего умер ваш дед со стороны отца?»

«От бандитской пули», — отвечаю я, радуясь разнообразию.

Врачиха вытаращивает глаза. Но улыбка приклеена.

«Почему?»

«Время было такое, — говорю я. — Была революция».

«А от чего умер ваш дед со стороны матери?»

«От бандитской нагайки».

Я смотрю, что врачиха хотела бы драпануть отсюда как можно дальше. Но улыбка на месте.

«То есть как? — спрашивает. — Почему?»

«Время было такое. Революция».

И тогда она делает паузу и осторожно осведомляется:

«А зачем они все этим занимались?»

И Рената пережидает мой смех и говорит спокойно:

— А что делать? Я бы всех их с удовольствием похоронила от рака…

* * *

У меня почему-то нет ощущения, что Рената исчезла из моей жизни. Так бывает после ухода больших артистов, писателей, поэтов: эманация личности в окружающее пространство такова, что очень долго остается ощущение абсолютного присутствия человека здесь и сейчас. Ловлю себя на импульсивном желании позвонить ей и рассказать о недавней поездке в Польшу, о том, что по-польски «еврейская писательница» звучит как «жидовска писарка». Спохватываюсь, что позвонить не получится… и все-таки по инерции представляю себе комментарии Ренаты: ее жестикуляцию, ее руки, что взлетают и как бы охватывают в воздухе арбуз; ее профиль в раме странного окна-проема из артистической: вот досмотрю Ренату, и самой выходить… Но главное — ее голос с неподражаемыми интонациями; ее голос, что звучит во мне и звучит, не замирая…

Иерусалим, май 2011

Пьеса для альта. *1999*

Улица Иерусалима. *1998*

Кошки в Иерусалиме

Алексею Осипову

1

> «…От Иерусалима земного до Иерусалима небесного —
> не более 18 миль».
>
> *Моше бен Я'аков, «Лилия тайн», трактат по каббале.*

Случилось так, что один зимний иерусалимский день — а это не просто день был, а суббота, самый тихий, обстоятельный и раздумчивый день моей недели, — я провела в Иерусалимском университете на горе Скопус.

Накануне позвонили из некоего образовательного фонда, что проводит здесь семинары для учителей из разных стран, когда-то бывших частью советской империи. Энергичный женский голос (а у сотрудников подобных фондов и благотворительных организаций бывают такие ликующие голоса, что хочется сразу трусливо опустить трубку) предложил «прочесть лекцию симпатичной и интеллигентной публике!».

Мои выступления все организаторы почему-то называют лекциями, хотя если что и бывает менее похожим на лекцию, так это моя трепотня перед теми, кто выразит желание ее послушать. Никаких лекций я не могу читать по определению, я ведь человек без образования: я закончила консерваторию.

Звонок этот раздался в святое время, когда, вспахав первую, самую каменистую борозду утренней работы, я делаю перерыв на чашку кофе, которую пью на балконе, задрав ноги на соседний стул и созерцая острие колокольни Елеонского монастыря, именуемой в просторечии «Русской свечой».

Телефон звонил, я и ухом не вела, и Борису пришлось снять трубку и принести мне ее на балкон.

Итак, лекция. Я осведомилась, далеко ли семинарят.

— В университете на Скопусе.

После чего переместила взгляд с «Русской свечи» на башню университета, от которого меня отделяют минут десять неторопливой езды на машине; а если расправить крылья и полететь над ущельем и холмами арабской деревни Азария — тогда и вовсе минут пять.

— И когда это?

— Послезавтра, в субботу.

— Я не езжу в субботу, — отрезала я. — Никогда!

На самом деле, в субботу, в святой наш день, я езжу, конечно, но, соответственно, только по святым поводам: например, в винодельню «Ганс Штернбах», что в лесах за Бейт-Шемешем, если поспело молодое вино, или на блошиный рынок в Яффо за каким-нибудь ситечком мадам Грицацуевой в средиземноморском варианте.

— Мы знаем, — заторопился голос, — и поэтому хотим пригласить вас с супругом стать нашими гостями на все выходные. Обещаем удобный номер в университетской гостинице.

Я отхлебнула из чашки глоток кофе, проследила ленивую трусцу трех бедуинских верблюдов по ниточке тропы, наброшенной арканом на соседний холм; за ними на ослике ехал некто совсем крошечный, но отчетливый настолько, что видна была оранжевая кепка на голове. Подумала: а в самом деле, мы ведь еще ни разу не отъезжали от дома *так близко…*

Отхлебнула еще глоток… и дала согласие.

Меня ждало некоторое потрясение.

Маленький чемоданчик мы все же собрали. Как любит повторять Боря:

— Никогда не знаешь, что может понадобиться в дороге.

И хотя дороги той было — десять минут через туннель или пять по воздуху, образовалась куча вещей, которые взять необходимо, даже если из окна гостиницы виден твой собственный балкон.

Итак, мы сели в машину и двинулись, и одолели этот наш туннель, высокий и светлый, как органный зал, на совесть пробитый лет восемь назад в старом теле горы Елеонской, полной карстовых пустот и тайн минувшей жизни (например, в ходе работ строители наткнулись на керамический завод I века новой эры), а вылетев из туннеля, свернули вправо, поднялись на гору и уже через минуту парковали свою старушку-«Хонду» в подземном гараже университета. На стойке в лобби университетского отеля нас ждали ключ от комнаты и отпечатанная программа семинара, где мои безответственные побасенки, как всегда, именовались лекцией. А далее — завертелся вечер, на каких мне приходилось бывать уже не раз: торжественный ужин с участниками семинара, старательно зажигающими субботние свечи и прилежно выводящими рулады выученных накануне хасидских песен. Ликующий голос не обманул: все это была симпатичная публика, люди читающие — учителя из Минска, Киева, Ташкента и Баку, — и вечер плавно перетек в душевные посиделки с вопросами-ответами, с «историями из жизни» — моя так называемая «лекция».

Наутро, проснувшись, как обычно, в пять, мы решили пройтись по парку, хотя в окне моросило, а на дне каменного дворика, куда выходило наше окно, плавал какой-то кисель, и стояла тишина, полная томительной капели и чьих-то невесомых шажков.

Впервые я оказалась в Еврейском университете на Скопусе не в будний день, когда тысячи студентов снуют-бегут по аудиториям, библиотекам, кафетериям и книжным магазинам, когда на всех этажах университетских зданий звучит разноязыкая речь и беспрестанно звонят мобильные телефоны, а в полновластном покое субботнего утра, насыщенного шорохами, дуновениями, загадочным попискиванием и бормотанием настырного дождя.

Мы оделись и вышли в дырявые лохмотья тумана.

Вокруг молчаливо мокли сосны, пинии и туи, молодые оливы и разные диковинные кусты, искусно вписанные в рельеф горы, меж ноздреватых и основатых валунов иерусалимского камня. Весь этот парк — с мостиками, полированными дождем ступенями и стилизованным под античность амфитеатром, обращенным в сторону Иудейской пустыни, был настоящим произведением искусства.

Мы постояли меж колонн, молча глядя на многоэтажные коробки пустых домов арабских деревень внизу. Пробитые черными свищами незастекленных окон, ослепшие от бесплодной ненависти их строителей, они стоят так не годами — десятилетиями.

Борис сказал:

— Иерусалим незрячий….

Дождик оживленно тряхнул над нами ситом, и мы накинули на головы капюшоны курток.

Тут самое время заметить, что кампус университета, изобретательно и бережно встроенный в знаменитую гору, с которой бросали первый взгляд на Иерусалим завоеватели всех времен (за что и получила она имя «Дозорной горы»), спроектирован по образу крепости. Здания многих факультетов соединены между собой длинными переходами, коридорами, лестницами и мостками. Входишь в одну из дверей юридического факультета, минуешь катакомбы кривоколенных узкооконных ущелий — и выныриваешь на историческом факультете, в маленьком патио, среди японских скульптур…

Мы вдруг обнаружили, что оказались совсем одни на территории пустого университета (если не считать группы наших семинаристов, в этот час наверняка мирно спящих по своим комнатам).

Тут же выяснилось, что ни одна дверь ни одной аудитории или зала не только не заперты — они распахнуты, и кто угодно может пройти насквозь всю цитадель, вынырнуть на любой площади и вернуться коридорами обратно.

— Смотри! — воскликнул Борис. — Бегемот!

Мимо нас протрусил черный, как антрацит, и такой же блестящий мокрый котяра, взошел по лестнице на второй этаж и скрылся за углом. Затем из-за поворота коридора показались две небольшие кошечки, рыжая и черно-белая; глянули на нас, задержавшись самую малость, и последовали за повелителем.

— Это персидский шах и его младшие жены, — сказала я.

— Ты что! Это профессор, а те — опоздавшие аспирантки. У них конференция на втором этаже.

И словно подтверждая Борину шутку, в распахнутой настежь двери возникла еще одна опоздавшая кошка; вошла, осмотрелась и направилась к лестнице…

Итак, по субботам шелестящей тишиной университета завладевают кошки. Красивые, сытые и невозмутимые, они по-хозяйски разгуливают по всему зданию и притихшему университетскому парку, спят на скамьях в аудиториях, выглядывают из окон, спокойно входят в помещения студенческих кафе.

И даже в университетской синагоге, спроектированной в виде круглого лекционного зала с огромным, обращенным к Храмовой горе окном от пола до потолка на месте восточной стены, — даже и там возлежали на скамьях, вылизывая мокрую шерстку, с десяток разномастных и разнопородных котов; может, прихорашивались перед молитвой?

А на молитвенном возвышении спиной к нам неподвижно сидела дымчатая кошечка, в рассветном сумраке утра казавшаяся черной. Она разглядывала панораму окна, за которым в лохмотьях летящего тумана возникали и вновь тонули дома, башни, купола и колокольни Старого города. На шаги наши не обернулась. Лишь два острых ушка дернулись и вновь застыли. И — черт меня побери, если она не любовалась тусклым золотом купола мечети Омара.

Мы тихонько постояли, зачарованно глядя на сей великолепный кадр, и вышли, ни к чему не прикасаясь, стараясь ничего не нарушить в храме невесомой субботней тишины…

…И вот миновали недели и даже месяцы, а я нет-нет и вспоминаю тот насыщенный влагой день, зимний дождь, серебристые оливы, черные кипарисы и пинии в батистовом тумане.

И тотчас возникает в памяти кошачий университет: томительный шепот капели вослед нашим шагам, плывущее над Храмовой горой исполинское окно, а в центре его — желтым апельсином в тумане — тускло золотится купол знаменитой мечети…

* * *

…А сейчас мне бы хотелось — как в фильме — навести резкость на тот же кадр, наехать камерой в самую гущу Храмовой горы и, включив слепящий прожектор полуденного солнца, повести *объективный* глаз вокруг и по границам Старого города — *Старгорода*.

И пусть сначала камера предъявит безумный муравейник в лабиринте каменных стен Мусульманского квартала, кипение темной крови в тесных артериях арабского рынка, сумрак под готическими сводами эпохи крестоносцев, гул и россыпь черношляпной толпы у Западной стены, именуемой еще Стеной Плача, скопление паломников в закоулках и на площадях Христианского квартала, аскетическую замкнутость квартала Армянского.

А на излете этого круга, последний, самый долгий и меланхоличный кадр я задержала бы на простой деревянной стремянке, что уже лет сорок стоит на портике над входом в Храм Гроба Господня. Это рабочий вставлял стекло в окно, да так и забыл стремянку, растяпа. А теперь, чтобы снять ее, должны собраться представители всех конфессий, меж коими поделены приделы Храма. Ибо, согласно договору, никто не имеет права на малейшее изменение в существующем облике здания. И долго полусгнившая от дождей и жары стремянка тлела бы у меня в сумеречном кадре — как символ хрупкого равновесия религиозного статуса-кво в этом взрывоопасном месте, как жалкое подобие той мистической «лестницы ангелов», что когда-то приснилась праотцу нашему Иакову, заночевавшему на горе Мория, в двух шагах отсюда…

И вот — с грохотом и треском (так разрывалась завеса в еврейском Храме) — безумное пространство заполняет ликующий вопль тысяч и тысяч глоток.

Столпотворение, крики, пение муэдзина, звон колоколов, ухающие пляски хасидов… в дни, когда — редчайший случай! — совпали православный, католический и еврейский праздники. Старгород и все к нему ведущие улицы закрыты для проезда, а разношерстный люд плотной толпой штурмует ворота города пешим ходом.

Греческий патриарх во дворе Храма Гроба совершает «Чин омовения ног» — моет ноги священникам рангом пониже. Все крыши вокруг двора Храма облеплены паломниками, которые пытаются разглядеть происходящее внизу, и дай-то бог, чтобы никто из них не свалился, — такое тоже бывало. В самом Храме католики — все в белом — стоят утреннюю литургию; на площади у Яффских ворот пейсатые хасиды в талесах поверх рубах отплясывают *хо́ру*, а у Западной стены совершается Благословение коэнов.

Гудящий, почти осязаемый кожей неистовый жар молитв, жалоб и клятв колеблется в раскаленном воздухе, распирает его и уносится ввысь — по назначению. Ведь все эти люди — все без исключения — собрались здесь с единственной целью: прославления Создателя. И каждый славит его, как умеет, насколько хватает ватт собственной души: на своем языке, на свой манер, по своему понятию.

И это как раз и есть — настоящее Чудо Иерусалима.

2

«Едущий на осле слезет с него и будет молиться, если не может слезть — пусть обернется, если не может обернуться — пусть обратится сердцем в сторону Святая Святых, что в Иерусалиме».

Трактат «Благословения»

Не могу сказать, что бегу гулять в Старгород, едва вырвется свободная минута. Не могу сказать, что люблю этот странный, не имеющий аналогов в мире клочок земли площадью в квадратный километр, но бездонный, неохватный, многоуровневый и многоутробный, уходящий ввысь на те самые 18 миль, где он сливается с Иерусалимом небесным.

Нет, не скажу, что это — самое любимое место мое на земле. Ибо любовь предполагает покой и доверие, а вот уж этой благости в Старгороде нет как нет.

Благости не ищут в Иерусалиме.

С высоты птичьего полета этот спрессованный участок земли похож, вероятно, на расколотый орех — на половинку ореха, где перепонки и дольки плоти заключены в нерушимую скорлупу каменной стены. Нерушимую и непроницаемую, несмотря на то, что ныне все его многочисленные врата не запираются и войти в тесное каменное пространство можно когда угодно, даже ночью.

Потому-то его обожают разведчики всего мира. Юркнул ты в подворотню какого-нибудь Ордена — и никто тебя оттуда не выковыряет. Международное право, признающее особый статус конфессий, не допускает преследования подозрительной личности. А что там, в подвалах этого древнего здания, какой такой подземный, еще с пятого века ход, выводящий в Иерихон, Яффо или Аман… можно только догадываться.

И все-таки есть в Старгороде, помимо крепостных стен Сулеймана Великолепного, еще и стены невидимые, замыкающие собой и запирающие на незримые засовы разные неосязаемые сущности, накопленные внутри его кварталов за тысячелетия. Это пленные духи, незримые излучения минувших жизней, вкусовые и обонятельные предпочтения проживающих тут этносов.

Например, запахи…

Каждый квартал Старгорода отмечен целым букетом запахов, и в каждом есть тот единственный, которого нет в остальных.

Христианский квартал пахнет ладаном.

Человечество, хранящее имена благовоний, воскуряемых священниками в древнем иудейском храме — все эти мирры, смирны и фимиамы — утеряло главное: сами запахи. Остался ладан, застывшие капли древесной смолы. Если он чистый, без примесей, то, воскуренным, пахнет по-домашнему, напоминая мне детство: канифоль, которой сестра натирала волос скрипичного смычка перед занятиями, а также запах из открытых дверей маленькой церкви на Госпитальном рынке, мимо которой мы с мамой проходили примерно раз в неделю.

И как бы ни был этот запах заглушаем горячим потом взмыленных паломников, волокущих деревянный крест по Виа Долороса, как бы ни перешибала его грубая вонь подозрительного мыла дешевых постоялых дворов, сколь бы ни примешивался к нему хлебный дух длинных пресных кренделей, что продают арабы с тележек, — тревожащий, тонкий, всепроникающий запах ладана царит не только в храмах и церквах, но и на улицах Христианского квартала.

У мусульман все перешибает стойкий запах рыбы. И хотя к ней они, как и все ближневосточные народы, относятся с невеликим почтением, все же арабы — главные торговцы на рынке, а рынок — средоточие и суть Мусульманского квартала. Веками со всего Иерусалима на рынок ходили

Спор о природе света. *1995*

за рыбой, особенно евреи перед субботой. А ведь нет, пожалуй, более скоропортящегося продукта. Она и сейчас, несмотря на существование холодильников, просто лежит на прилавках: серебристые ломти на голубоватом крошеве льда. Рыбный дух за столетия пропитал темные каменные стены, въелся в них и остался навек. Побороть его не может даже веселый и пестрый аромат специй. Имбирь, зира и король местных запахов — духовитый заатар — пасуют перед богатой рыбной вонью на закате рыночного дня.

А еще — и это странно — в накате волн пульсирующего воздуха витает едва уловимый запах денег. Да-да, ведь арабы — менялы. Испокон веку в Старгороде везде принимают любые деньги: доллары, евро, шекели, иорданские динары, египетские фунты… не счесть самых разных диковинных валют. Каких-нибудь десять лет назад торговец невозмутимо принял бы у вас голландские гульдены и отсчитал бы сдачу в любой удобной для вас валюте с точностью до копейки. Так что к аромату кофе, который вам предложат в любой лавке, обязательно будет подмешан запах купюр — тот самый, который мы вдыхаем, держа в руке пачку новеньких ассигнаций…

В Еврейском квартале — это особенно ощутимо в ненастные дни — меня тревожит запах свежестиранного белья. Наверное, под дождем оживают призраки тяжелых дней Войны за независимость, когда Еврейский квартал Иерусалима жил в настоящей блокаде — не хватало продовольствия, топлива, а главное, воды. И хозяйки после стирки белья не выливали воду, а использовали ее для мытья полов и окон. Через пороги открытых дверей вода стекала на улицу, ею пропитывались каменные плиты площади, брусчатка мостовых, трава вокруг деревьев, и вот эти-то ожившие под дождем запахи иерусалимского мыла, сваренного по старинным рецептам, до сих пор поднимаются от камней, от земли и травы Еврейского квартала.

И всему здесь сопутствует суховатый строгий запах молитвенных свитков из телячьей кожи, над которыми в сувенирных лавках, торгующих *мезузами*, трудятся сутулые каллиграфы — *сойферы*…

А вот в Армянском квартале над горьковатым дымком от тлеющего хвороста всегда витает торжествующий хлебный дух. Это во дворах хозяйки пекут в специальных врытых в землю печах — *тонирах* — благословенный лаваш.

Армянский лаваш можно напечь на полгода вперед. Подсушенный, он хранится долго. И потом в любой момент сто́ит, слегка увлажнив, на полчаса накрыть его полотенцем, как он оживет вновь, став теплым и мягким хлебом. Арабские питы и лафы, французские багеты, русские кренделя — более поздние изобретения. Армяне чуть ли не первыми на земле догадались извлечь сытный вкус из забродившего теста…

Тревожный воздух Старгорода перенасыщен и, как тугая котомка, набит запахами его обитателей. В дождливые дни он набухает, сыреет и тянется понизу над мокрыми плитами улиц и переулков, исшарканными подошвами миллионов ног; в жару — мириадами спиралей прорастает над скопищем лавок, колоколен и куполов, плоских и черепичных крыш; бунтует и рвется прочь весной, когда в долине Иосафата цветут багровые маки, а над Иудейской пустыней вырастают и рушатся, беззвучно содрогаясь в тектонических разломах, скалистые облака.

Тяжелый и плотный экстракт, текучая смесь, настоянная на пряном ветерке страха, — этот воздух, вдыхаемый теми, кто ступает на эту землю, — он содержит все, что угодно, только не благость.

Ибо не ищут благости в Иерусалиме…

* * *

И все же время от времени я оказываюсь в Старгороде — по разным поводам.

Чаще всего это очередная прогулка с очередными гостями, которым, в зависимости от интересов и расположения души, нужны либо христианские святыни («…и Мария Никитична просила крестик освятить!»), либо Стена Плача (записочку меж камней вложить: «Пусть Сене повысят зарплату, Г-ди! И чтобы Лиза наконец забеременела!»).

Либо гости мои совсем бесшабашные, и тогда с ними просто: «Да веди куда хочешь!»

Я и веду, и показываю высокий класс, свой знаменитый аттракцион: долгую, витиеватую, наступательную и оборонительную торговлю с владельцами арабских лавок — битву до полной моей победы: смехотворно малой цены, которая почему-то (я двадцать лет потратила на то, чтобы это понять, но так и не поняла) все равно выгодна владельцу товара. Может быть, все эти ткани, керамику, медную утварь и прочее соблазнительное барахло производят иноземные рабы в глубоких подземельях времен крестоносцев?

Мой подлинный, тайно лелеемый талант — упоенный рыночный торг. Виртуозный, партитурный, детально оркестрованный шутками, вздохами, стонами, воплями… торг до вылезания глаз из орбит. До бравурного пассажа в финале, до последнего аккорда — чашки кофе, сваренной лично хозяином лавки.

Впрочем, иногда я покупаю действительно нечто ценное, что задевает меня по-настоящему: например, серебряную монету Александра Македонского, которую я намерена переделать в кольцо. Под напряженным взглядом моего знакомого продавца Аси я долго рассматриваю чеканный профиль молодого полководца. (Это профиль актера Жерара Депардье: мощная шея, сложносоставной нос с мясистым кончиком, твердые губы, выдающийся подбородок… Да: я переделаю ее в кольцо и буду мечтать и представлять себе руки, сотни тысяч белых, черных, шоколадных и желтых рук, через которые прошла эта монета, прежде чем осесть на безымянном пальце моей правой — и тоже не бессмертной — руки.) После чего невозмутимо откладываю монету в сторону и минут пять перебираю нитку крупных кораллов, подробно обсуждая с Аси, как и зачем их красят. Главное тут ни разу не бросить в сторону монеты заинтересованный взгляд. Чуть позже я опять рассеянно беру ее в руки, чтобы вновь отложить, якобы заинтересовавшись серьгами из римского стекла… Цель — вымотать Аси и совершенно запутать его относительно моих намерений.

Я здесь с друзьями, которые разбрелись по магазину и таращатся на все диковинное, что попадает в поле зрения, и щупают все, до чего дотянутся руки. Я уже раза три созывала их по-русски, выразительно загребая воздух рукой, чтобы Аси понял, что мы намерены двинуться дальше… И когда они, как цыплята, собрались, наконец, под моим крылом и готовы продолжить зачарованное путешествие по магическим джунглям Эльдорадо... я резко разворачиваюсь и выхожу на ринг:

— Почему я должна верить, что монета — не подделка? — лениво спрашиваю я.

Аси не вскидывается, не кричит, что не торгует подделками (он ими торгует); не бросается демонстрировать мне сертификаты на стенах, подтверждающие законность его торговли археологическими артефактами... Так поступил бы салага, стремящийся отхватить любой кусок, сбыть с рук любому иностранцу дешевку за три шекеля. Нет, Аси не таков. Во-первых, мы с ним знакомы много лет, и не одну группу хищных киношников я приводила в его магазин, уверяя, что «русские делают рекламный фильм, и твою лавку увидят миллионы туристов»; во-вторых, я никогда просто так не морочу голову и в конце любого визита обязательно покупаю что-то в этой лавке, удобно расположенной слева от входа в арабский рынок; покупаю даже тогда, когда в этом нет острой нужды.

(Да и какая, положа руку на сердце, может быть нужда в коралловом ожерелье, или в вазочке иранской керамики, или в тканой наволочке кропотливой друзской работы? Я покупаю все это впрок на подарки, ибо много разъезжаю и повсюду у меня друзья, приятели и знакомцы.)

Аси вообще не торопится меня разубеждать.

Он улыбается и достает из-под прилавка поддон, разделенный на множество крошечных отсеков. В каждом отсеке лежат по две, по три монеты — темные кружочки разной степени сохранности и привлекательности, в зависимости от того, когда и как охотно отдала их здешняя земля.

— Смотри, — говорит Аси, ставя поддон на стекло прилавка. — Тут монеты иудейские, римские, эллинские. Монеты византийцев, крестоносцев, турок, мамелюков... Вот этот темный кружок с трилистником — это шекель времен Первого восстания против римлян, 70 год новой эры. А это — монетка Бар-Кохбы, а вот цезари, выбирай любого: Тиберий... Троян... Адриан... Монеты Хасмонеев: Александра Янная и Матитьягу Антигона, который воевал с Иродом Великим за царство. Ты знаешь, что монеты в то время были все равно что газеты? Вся пропаганда через них велась. Вот, например... — Он достает лупу, включает крошечную, как горошина, но бьющую прямо в цель лампу, и мы склоняемся над витриной. — Видишь эту дверь? Вход в еврейский Храм... Этим Антигон говорит толпе: я, мол, настоящий еврейский царь, не то что этот проклятый инородец Ирод... Пропаганда, все — пропаганда, — вздыхает Аси.

Вообще-то он, мусульманин, не должен допускать и мысли о том, что в древности на этой земле было царство Иудея со столицей Ерушалаим. Арабы утверждают, что до них ничего здесь не было, и сильно заботятся о приведении археологических фактов в соответствие с исторической концепцией ислама. К примеру, в первую же ночь после ухода израильской армии из Вифлеема мощным экскаватором был благополучно снесен с лица истории такой археологический факт, как римский акведук первого века новой эры.

Но Аси — антиквар, два года учился археологии в университете на Скопусе; главное же, он — торговец, и этим все сказано. Прибыль интересует его больше, чем «пропаганда». Со всего мира в Старгород приезжают самые разные туристы, нередко появляются профессиональные нумизматы. Что, если кому-то из них понадобятся монеты древних иудейских царей?

Он опускает лупу на прилавок и поднимает голову:

— Сейчас научу тебя, как отличить подлинник от подделки!

Извлекает откуда-то серебряную монету с профилем Александра, — по виду точно такую, какую кручу я в пальцах, и кладет на другую мою ладонь:

— Ну-ка, взвесь... просто прикинь по весу ту и эту... — И хитро на меня смотрит: — Чувствуешь? Какая из них легче? Эта? Правильно. Она и есть подделка: в ней куда меньше серебра.

И когда спустя минут двадцать мы с Аси прощаемся, пройдя навстречу друг другу долгий путь к *справедливой* цене (так две встречные бригады строителей дробят породу, прокладывая туннель), он легко замечает вдогонку:

— Только учти: подделка стоит дороже, чем подлинник. Она ведь — подделка того времени, тоже артефакт.

— Почему?! — замираю я в дверях лавки. — Почему — дороже?!

— Не знаю, — пожимает плечами Аси, а в глазах его едва заметна тень усмешки. — В монетном деле мастерство подделки всегда ценилось выше, чем тупая работа станка. Только это — потом, лет через пятьсот после смерти фальшивомонетчика.

* * *

К слову о подделках.

Когда я писала роман «Белая голубка Кордовы» — о гениальном подельщике картин, — мне пришлось вдоволь пошататься по закоулкам и лавочкам Старгорода.

Нет ничего таинственней арабских лавок Иерусалима. Нет ничего загадочнее старых иерусалимских домов, внешне приземистых и тесных, но обладающих способностью раздаваться изнутри, будто некая сила дополнительного измерения раздувает пространство дома так, как мы в детстве раздували сложенный из бумаги «чертов язык». Плоский, хитро упакованный, он в три приема — раз-два-три! — вспухал и, надутый теплым воздухом, разворачивался далеко вперед.

Так и тут. С улицы ты видишь вход в небольшое и, как правило, непрезентабельное помещение, заваленное товаром. Входить туда нельзя — если ты не знаешь, чего ищешь. Тебя вмиг обратают ласковые, очень способные к языкам арабские торговцы: зазовут пить кофе, станут называть «Наташа» и «сыстра», объясняться в любви к русским, разворачивать блескучие и пестрые шали, швырять на прилавок медные джезвы и ступки, перламутровые крестики, топорные фигурки святых из оливкового дерева, золотые *магендавиды* и подсвечники... и через пятнадцать минут ты и сама не поймешь, как и зачем в твоих руках оказался персидский ковер за три тысячи шекелей, ведь ты просто хотела глянуть, чем торгуют в этих паршивых лавчонках...

Но если ты твердо знаешь, что ровным счетом ничего тебе не нужно, что ты не «русская» из прекрасной Москвы, а вот уже третий десяток лет проклятая израильтянка из Иерусалима, то смело входи и путешествуй дальше, ибо за первой комнатой всегда есть другая: пещера без окон, зато с цветными лампадами, свисающими с купольного, неизвестно откуда тут взявшегося потолка средневековой залы. Товары здесь почти те же, что и в первой комнате: рулоны ковров, стопки тканых скатертей и шелковых шалей, ряды вышитых балахонов под потолком и бесчисленные нити полудрагоценных камней, как правило — раскрашенных. Тут тоже нечего делать бывалому человеку.

Но случается, что из этой пещеры завешенный ковром дверной проем или просто арка в стене ведет в некое совсем уже затхлое и тусклое, как невнятный сон, пространство, в центре которого на старом кофейном столике, инкрустированном перламутром, стоит большой серебряный поднос, а в нем — горой навалено всякой всячины, на первый взгляд непотребной. Но вот тут-то и надо остаться, тут надо хорошенько покопаться. В этой хламной куче могут попасться мятые серебряные бусины очень старых времен, наконечники копий крестоносцев, осколки флаконов римского стекла (оправленные в серебро, они так изысканно и нежно откликаются на цвет любой одежды)… Наконец, старинные монеты. Это помещение для знакомцев, для знатоков. Не для туристов. И торговаться тут надо осмотрительно, не нагло, но уж на своей цене стоять насмерть.

Так вот, в эпоху охотничьего гона за старьем, диковинами и, главное, лицами других, небывалых жизней мой друг Леша Осипов вызвался привести меня в место особое, штучное и в Иерусалиме единственное: в лавку некоего Абу-Халяля — того, что торгует настоящим дамасским шелком.

Леше я доверилась полностью, ибо он и сам — человек штучный, а для меня — даже загадочный. Осипов знает все, бывал везде, знаком со всеми. Информацией всегда владеет самой точной, в вопросе, о котором идет речь, осведомлен досконально, при этом — насмешник и баламут, и потому любой его рассказ производит впечатление розыгрыша. Еще он обладает очаровательной манерой, упоминая о ком-то, одним и тем же тоном говорить о предмете совершенно противоположные вещи, словно предлагает собеседнику выбрать, что больше нравится: «Михайлов-то? Ну, он прелесть что такое, невероятная скотина!» Или: «И он мне справедливо на это замечает, что занятия спортом укрепляют здоровье, и, по-моему, за подобные высказывания надо убивать на месте».

Меня он, наглец, называет «тетей» (не знаю, как это вышло, но одергивать поздно) и учит жить при каждой возможности.

Комментатор святых текстов. *2010*

Спросишь у него:

— Леша, не знаете ли, как выглядит чек банка Ватикана?

— Да ради бога, — отвечает он. — Дайте-ка ручку, тетя…

И за минуту набросает оный в деталях на ресторанной салфетке. Разве что без подписи Папы Римского.

Спросишь у него:

— Леша, вы — шпион?

Улыбается.

— А не знаете, существует ли в Старгороде масонская ложа?

— Разумеется, тетя… Дать адрес?

— Леша! Вы — масон?!

Улыбается…

Так вот, лавка Абу-Халяля.

Меня и вправду поразило это небольшое помещение с антресолью, где стояли и вповалку лежали штуки драгоценной, магически мерцающей материи, с рисунком, меняющим очертания в зависимости от времени дня — то есть от освещения. И пока я со слов хозяина записывала разные «смешные», по его мнению, факты (вроде того, что в древности ткачам отрезали язык, дабы те не могли выдать врагам секретов производства дамасского шелка), нам с Лешей дважды сварили настоящий арабский кофе, а я — чего писатель не сделает во имя будущей книги! — разорилась на две дорогие шелковые наволочки, сшитые из того отреза, что идет на облачение греческого патриарха. Оборотистый Абу-Халяль сэкономил на обрезках…

* * *

— Подумаешь, дамасский шелк! — фыркает моя соседка Фрида. Она явилась за телефоном собачьего парикмахера, да так и застряла минут на сорок — мы с ней дальние родственники по собачьей линии, всегда есть о чем поговорить. Фрида маленькая, уютная, проворная, с оттопыренными круглыми ушками, за которые, когда кроит, закладывает падающие на лицо пряди. Работает в ателье у Офры, известной в Старгороде портнихи из семьи испанских евреев, семьи разветвленной, старинной, с говорящей фамилией Толедано, чьи предки, покинув Испанию пять веков назад, поселились в Еврейском квартале.

— Знаю я Абу-Халяля. Он весь на виду, к нему то журналисты, то министры, то модисты… какой в этом интерес! Там, в соседних персулках есть более любопытные заведения. Например, кружевная лавка старух Орландес.

— Что за старухи?

— Две старые девы, абсолютно одинаковые. На первый взгляд — близнецы, но они погодки. Может, из-за волос: у обеих — длиннющие волнистые волосы… белые-белые! Сидят посреди своей лавки в двух рассохшихся креслах, а вокруг полнейший бардак — ни полок, ни ящиков, ни витрин. Просто всюду навалены кучи старинных кружев, и какой кусочек ни вытяни — тыщи долларов стоит. Входишь — и крыша едет: будто в сказку к колдуньям попала: кучи драгоценных кружев и посреди — две одинаковые старухи с белыми распущенными волосами, цвета как раз тех самых кружев… Вот и напиши про них.

Я впечатлилась и отправилась искать кружевную лавку; и словно в насмешку или в поучение меня заставили вдоволь покружить: торговцы Старгорода адресов не называют, они либо указывают рукой — а рука так и отплясывает джигу, — либо лукаво и подробно объясняют дорогу, перечисляя приметы, и примет тех множество: магазин ковров, где сидит калека-Халаф с наргилой; за ним — правее римской колонны, левее фонтана — серебряная лавка под балконом греческой епархии, где на пороге — слепая пестрая кошка с колокольчиком на шее; за ней — лавка специй, там еще клетка с канарейкой над входом… Словом, кружила-кружила я, вывязала ногами километры кружев, на весь Старгород хватит… да и бросила это занятие.

* * *

— Как же, как же, — многозначительно усмехается Осипов. — Сестрицы колоритные. Беда только, что не всегда они там обретаются…

Мы с ним сидим в кафе в Мамиле — с недавних пор здесь модно назначать встречи: больно хороша и элегантна эта новая улица, идущая параллельно стенам Старгорода и, как «лего», собранная из развалин старых иерусалимских домов. Многие годы Мамила, разрушенная боями Шестидневной войны, пребывала в унылых руинах — в самом центре Иерусалима. Несколько крупных подрядчиков дрались в судах за право отстроить этот, по замыслу отцов города, деловой и туристический центр. У нас долго судятся: шли годы и даже десятилетия... (И это очень хорошо, уверяют мои друзья-архитекторы, иначе на месте нынешней Мамилы стояли бы какие-нибудь модные в восьмидесятых дылды из стекла и бетона.)

Сейчас Мамила роскошна: она сплетена из старых иерусалимских подворотен и новых строительных технологий. В европейский торговый променад включена и отреставрированная армянская церковь. И ровная шлифовка новеньких плит из иерусалимского известняка оттеняет благородную желтизну старых отмытых камней.

Кафе здесь самые обычные, но уж очень вид красив — на черепичные крыши района Монтефиоре, на лопасти круглоголовой мельницы, на все эти белые дома, придающие холмам немного засахаренный вид.

— Старухи, конечно, примечательные, — задумчиво повторяет Осипов. — Но учтите, что они не каждый день там тусуются...

К нам наконец подходит давно окликаемая официантка и выдает огромные, как дипломы, папки меню.

— Что означает ваше странное замечание? — спрашиваю я, готовая к любому его розыгрышу. — Что вы имеете в виду?

— Да ничего особенного, — рассеянно отвечает Леша, скользя взглядом по партитуре супов, запеканок, десертов. — Кроме того, что временами лавка исчезает...

— Леша! — Я в сердцах откладываю меню. — Вы сдурели?!

— Да нет, могу поразвлечь вас историей, которая у меня с ними вышла год назад. Уж-ж-жасно соблазнительная, верьте — не верьте, получилась история. Шел я, помнится, в местное отделение «Опуса Деи»...

— Ку-да-а?!!

— Ну что вы вскидываетесь, тетя, как испуганная лань. Вы что, не знали, что в Старгороде обитают и эти ребята тоже? Я брал интервью у директора. Он мирянин, очень приличный человек... Ну так вот, пробегая оным переулком, краем глаза вижу в запыленном окне неизвестной мне лавки нечто такое, от чего застываю, будто меня дубиной огрели: стоит в окне — причем именно не лежит, а стоит, будто специально ее выставили для понимающего человека, — папка гравюр моего обожаемого Жака Калло… Я, видите ли, эти гравюры тридцать лет собираю, и главное, буквально накануне просидел в Интернете часа полтора, прошерстил все антикварные букинистические сайты. У меня есть несколько его факсимильных гравюр, но я охочусь за редкой, «Изгнание евреев из Парижа», а она только во флорентийском издании… И вот бросаюсь я к окну и вижу — внизу на обложке папки: *Italia—Firenze*, и понимаю, что там она, родная, внутри! И главное — чепуха какая-то: лавка — кружевная, на вид заброшенная, захламленная… Не процветающий, скажу вам, у заведения вид. Отнюдь. Откуда ж гравюры? Вхожу — сидят два пугала, будто меня и дожидаются. И вид у них… ну, скажу вам — вид такой, что самое им место на тех гравюрах. Балакают по-испански, по-французски и по-итальянски. Пытаюсь выяснить — по-каковски еще? Надо ж и объясниться… охотно отвечают: по-фламандски! Ну не ядрена ли мама — в городе Иерусалиме?! Тогда я жестами: мол, тут у вас в окне папка с гравюрами стоит. Продается? А как же, кивают, продается, продается… А у меня сердце как молот: бух-бух, бух-бух… Нельзя ли взглянуть? Пожалуйста, пожалуйста…

Открываю, дрожа, переворачиваю желтоватые плотные листы… вот она! Неужто сейчас, думаю, завладею недостижимой мечтой… Сколько же? Цена какая? Пишут каким-то, черт их знает, угольком на кусочке кружев: 400. Четыреста — что? шекелей? эскудо? флоринов?! Нет, старухи, оказывается, отлично знают слово «евро». Ну черт с вами, говорю, переводите в шекели, выпишу сейчас чек… Буду голодать месяц во имя мечты… Да только стоп машина: чеки они, увы, не принимают. И обе пальчиками так сучат, знаете, — большим и указательным — мол, наличняк гони, любезный кавалер, гони-ка наличняк. Истлевшие такие пальчики, как и все их кружева…

Короче: я понимаю, что сейчас опоздаю на интервью, и кое-как — мимикой, вприсядочку, чечеткой — договариваюсь, что завтра утром прибуду сюда с налом, как штык. Кивают, улыбаются… В десять удобно (показываю обе растопыренные пятерни)? Кивают, улыбаются, падлы…

А я еще, болван, отбежав метров на двадцать, оглянулся и запоминаю: ага, слева кофейня, справа обувная лавка. Посередке — эти две белокурые мумии. У меня, вы ж знаете, — зрительная память, как у шпиона.

А папка гравюр Жака Калло в окне — манит, красуется… прощается со мной…

— Почему же — прощается? — спрашиваю я. — Кто-то перехватил?

Леша вздыхает и смотрит на меня с состраданием.

— Знаете, что в вас отталкивает, тетя? Очень вы тверезый человек. Без полета, без отрыва в атмосферу и, что особенно омерзительно, — без страха перед серафимами…

— А если короче?

— Если совсем коротко: назавтра мерзкой лавчонки не оказалось на месте.

Я издаю саркастический вопль. Он, сложив руки на груди, с мрачным и невозмутимым торжеством пережидает все мои издевательские реплики. Наконец кротко продолжает:

— Так вот…

В этот момент официантка наконец снова с нами, и мы наскоро заказываем кофе и тосты. Что поделаешь: Леша, конечно же, всю эту бодягу сочинил, но я хочу немедленно дослушать его увлекательное и, несмотря ни на что, такое, черт побери, убедительное вранье!

— Да, так вот… — говорит он. — Слева кофейня — стоит на месте, справа обувная лавка — пожалте. Посередке — ничего. Даже и намека никакого. Перед входом в кофейню — молодой человек лет восьмидесяти. Сидит на старом венском стуле, греется на солнышке. Жилет, галстук, золотая булавка, седые усики аккуратно подстрижены; такие старички продают газеты в Барри Готика, в Барселоне. Я — к нему, хотя голова моя раскалывается, а мозги выкипают и грозят расплескаться. Так и так, говорю, вчера вот тут была кружевная лавка, и две почтенные сеньоры договорились со мной о встрече… Он смотрит на меня, как на безумного, и вежливо говорит: ошибка, дорогой мой господин. Я сижу тут шестьдесят лет, и никогда никакой лавки, тем более кружевной, здесь не было, да и быть не могло. Сами видите — наш переулок обувной.

— Гофман! Эдгар По! Стивенсон! — насмешливо перебираю я, любуясь тем, как синхронно отражается в обоих стеклах Лешиных солнцезащитных очков мраморная Дева Мария на фасаде старой армянской церкви. — Уилки Коллинз! Конан Дойл!

— Да нет, — серьезно парирует Осипов. — Это просто Стар-го-род!.. Ну, я еще потоптался рядом, дурак дураком, выпил с горя чашку кофе, плюнул, да и ушел.

* * *

— Ну, как же ты их не нашла! — удивленно восклицает Фрида. — Это же так просто: вошла через Цветочные ворота, дошла до лавки сандалий и сумок, спустилась к фонтану, и третий переулок направо... нет, четвертый... нет, постой...

— Да ты сама там была? — спрашиваю я с досадой.

— А как же! Меня Офра приводила. Она брала у них горстку брабантских кружев — восемнадцатый век, с платья Марии-Антуанетты...

— Кого? Марии-Антуа?.. — Я смотрю на нее, и вижу то, чего раньше не замечала. Да она сумасшедшая, думаю я. Они там, в Старгороде, все с приветом. Тем более что Фрида уже лет двадцать работает в ателье Офры. Заразилась! Воздухом тем надышалась... Ой, пореже надо нос туда совать.

— И вообще, — решительно говорит моя соседка. — Вот ты пишешь бог знает о ком: о каких-то арабах, цыганах, айсорах... Возьми и напиши о моих испанцах. Вот это — люди! Офра, например, — тринадцатое поколение семьи, и все говорят на ладино, ну, ты знаешь — на языке испанских евреев. Представляешь — тут собственные дети забывают родной язык за несколько лет, а эти — тринадцать поколений хранят язык и память! Офрин отец — он недавно умер — всю жизнь ходил в лавки и ресторанчики, которые держали его друзья, — специально, чтоб поговорить на ладино. Аристократы, голубая кровь! Между прочим, умер внезапно на 86-м году, посреди яркой жизни: джипы, мотоциклы, танцы... любовниц до хрена! У старика были водительские права под номером 00003 в Палестине. И первый в стране «Харлей» тоже был его. А тот прислали разобранным прямо в канун Пасхи. Так все мужчины поднялись из-за праздничного стола и пошли мотоцикл собирать. Пасхальный седер! Запрет на любую работу! Но не собрать «Харлей» — это было выше их сил... Да там история на истории!

Фрида уже стоит в дверях, но, припомнив что-то еще, возвращается и снова плюхается на диван:

— Вспомнила про бабушку! Тебе надо вот про кого написать — про Офрину бабушку Мирьям, я ее еще застала в живых. До 96 лет была настоящей юлой: готовила, стирала, убирала, помнила всю многочисленную родню — у кого день рождения, у кого годовщина свадьбы, была в курсе всех новостей. Я с ней часто по телефону говорила: голос молодой, упругий. Дожила до второго праправнука! А как умерла — это поэма! Собрала нескольких женщин из семьи — кого хотела видеть, — выстроила вокруг кровати, дала указания — кому что оставляет, где что лежит, сказала, что жизнь считает законченной и счастливой, несмотря на все потери, закрыла глаза и — умерла. Представляешь: бабы стоят в полной непонятке — что происходит? Ждут пять минут, десять... Наконец догадались вызвать «амбуланс» — те приехали и только смерть констатировали... И вообще! — Фрида решительно закладывает за оба ушка длинные пряди волос, словно сейчас приступит к раскройке моей новой книги: — О Старом городе надо по профессиям писать. Вот возьми портных, напиши о них повесть... О-о-о, портные Старого города!..

     *   *   *

— Портные-то? — легко удивляется Леша Осипов. — Пожалуйста. Вас кто интересует? Могу познакомить с одной монашкой. Она русская, во время войны угнана в Германию и после Равенсбрюка назад в Эсэсэрию возвращаться не пожелала — умной оказалась. Со справкой Красного креста попала в Палестину, где приняла постриг. Никаких документов у нее нет. Живет на то, что рясы шьет. Вообще, в Старгороде полно народу, живущего по странным, давно уж недействительным документам...

Итак, мы сидим в Мамиле, слева внизу развернулся Иерусалим, и не самым бедным своим боком развернулся: за куполами и пузатыми эркерами «Деревни Давида», жилого района богатых американцев, розовым гребешком сидит на холме легендарный отель «Царь Давид», взорванный еврейскими террористами во времена правления Британии в Палестине.

Окно в районе Нахлаот. *2000*

Над ним — на улице все того же Царя Давида — монументально вздымается в небо вызывающая неприличные мысли башня христианской организации ИМКА.

А там, где улица Царя Давида, сбегая вниз, упирается в Мамилу, высится громада недавно выстроенного отеля, с оригинальным именем: «Цитадель…» — опять таки — «Давида»…

Поразительно, насколько мил народной памяти этот не самый высокоморальный, вороватый на чужих жен, уклончивый и хитроумный… но дьявольски обаятельный еврейский царь, одаривший мир ликующей печалью своих псалмов.

— Ну так что? — спрашивает Леша. — Познакомить с монашкой-то?.. Вы же разыскиваете «оконные» сюжеты? Так мы это запросто притянем за уши: мол, она — агентесса КГБ, шила для патриарха, старикан перед смертью поведал ей тайну о… неважно, потом придумаем. С этой тайной в груди она сигает в окно второго… нет, третьего этажа резиденции православного патриарха, сбивая с ног (этакий д'Артаньян в рясе) проходящего мимо коптского монаха… О-о!!! — У Леши светлеет лицо, словно он встретил дорогого ему друга юности; значит, тюкнула в висок очередная идея: — Вот о ком надо книгу писать: копты! Напишите про коптов. Уважьте их, тетя! Это ж последние ископаемые египтяне! Они — единственные — живут в храме, вернее, на его крыше, как Карлсон какой-нибудь. Этих черных бедняг братья по вере лягают при каждом удобном случае. И копты решили — будем на крыше жить, охранять свой маленький придел, чтоб совсем не замордовали, согласно христианской морали… Кстати, об окнах, тетя. Вы же бывали там, на крыше храма? Не пробовали в темечко купола глянуть, в тусклое такое оконце, не мытое веков десять? Пойдите и смотрите! Смотрите!!!

Он потрясает воздетыми кулаками, видимо, изображая проповедника, и чуть не сбивает локтем чашку кофе с подноса, который принесла официантка. Затем минуты три мы деятельно занимаемся тем, что пробуем разные сорта варенья и джемов в крошечных розетках. Я сразу отбираю себе варенье из пассифлоры и предупреждаю Осипова, чтобы даже не думал на него посягать. Что уж говорить о многовековой вражде христианских конфессий в Храме, если здесь трудно варенье поделить.

— Нет, в самом деле, — с аппетитом жуя, продолжает Леша. — Это ж какой взгляд небанальный, ракурс какой: с крыши Храма-то Гроба Господня глянуть в самую середку, в его нутро, на эту пульсацию его кишок — на людское копошение… Господи, сколько типов, какие истории…

Леша вдохновлен не на шутку, он даже не реагирует на всхлипывания мобильного телефона. Взглянет только в экранчик, задавит всхлип и снова отложит телефон в сторону. Я смотрю на его энергично жующие желваки и думаю — как все же этот человек способен заряжаться от себя самого, как мгновенно достает он из памяти — точно араб-торговец из своих необъятных сундуков — то одно, то другое, то отрез, то лоскут, то монету, то бусы… Сейчас он не просто оживлен, он летит на всех парах, бескорыстно и вдохновенно:

— Слушайте, именно, именно — истории! Об Иерусалиме надо писать километры человеческих историй, без всяких комментариев, без рассуждений, пейзажей и прочей вашей болтовни. Сухой перечень историй. Остальное неинтересно. Начните со следующего эпизода: 1954 год. Мы с Иорданией в состоянии хрупкого перемирия. Иерусалим разделен колючей проволокой, иорданцы не пропускают евреев к Стене Плача, и школьникам о ней рассказывают на специальном уроке, привозя классы на некую горку, с которой виден краешек этой самой святыни. И вот однажды, прекрасным весенним утром две монахини монастыря Нотр-Дам — а именно вдоль его стены проходила граница — решают выпить кофе. Утро свежее, румяное, душистое…

— Ле-е-еша!…

— Нет, слушайте, слушайте!.. Одна из монахинь, а именно мать-настоятельница, с чашкой в руке подходит к окну, открывает ставни, перегибается через подоконник… солнце врывается в комнату… Наловила старуха полные глаза солнечных зайчиков. Ап-п-ч-хи!!! — бывает, вы скажете? Но! Монахиня так мощно чихнула, что ее вставная челюсть вылетела в окно.

— Слушайте, Леша… У меня нет времени на всю эту чепуху…

— Да вы же не знаете, что дальше! — восклицает он. — Дальше самое пикантное начинается. Челюсть монахини вылетает и падает под окно! — выпаливает он скороговоркой спортивного комментатора и, словно кто-то переключил каналы, мгновенно переходит на тон сказителя былин: —

А данти-и-истов в те времена было в Иерусалиме раз-два — и обчелся, вставная челюсть стоила целое состоя-а-ание. Казалось бы — спустись, бабуля, или пошли какую ни то из сестер поднять дорогостоящую челюсть. Ан не тут-то было! Лежит она, лебедь белая — голубушка, в травке, именно там, где проходит нейтральная полоса, и поднять ее нет никакой возможности, ибо, как и положено, нейтральная полоса находится под прицелами снайперов — как иорданских, так и наших. И начинается одна из самых изысканных иерусалимских историй, когда Израиль и Иордания — само собой, через посредника, коим является комиссия ООН по делам Иерусалима, — начинают переговоры по спасению челюсти матери-настоятельницы монастыря Нотр-Дам!

— Вы все врете, Леша, — теряя терпение, решительно заявляю я. — Вы это прямо сейчас выдумали на ходу.

— Можете справиться у любого экскурсовода, — говорит он, состроив обиженное лицо. — Переговоры длились три недели, пока, наконец, под охраной израильского солдата монахиня не спустилась вниз и не подняла из травки свою драгоценную пасть...

— Леша, отстаньте, — говорю я. — У меня голова идет кругом.

Он откусывает кусок от булки, с минуту жует, держа задумчивую паузу, наконец произносит уже серьезно:

— Между прочим... в Старгороде, конечно, есть о ком писать: это же ковчег, где каждой твари по горстке. Он, думаю, и размером-то с тот самый библейский ковчег. Ведь если вдуматься: греки, копты, цыгане, курды и суданцы, русские, грузины, айсоры... И об ильинцах не забудьте — живописнейшая публика! Недавно в винном подвальчике в Старгороде видел сценку: спускается ражий русский мужик в облачении ортодоксального еврея, требует у стойки стакан водки, одним махом опрокидывает в рот и занюхивает засаленным рукавом своего лапсердака... Но, знаете, если писать о здешних меньшинствах, то... начинайте с армян.

— С армян? — удивляюсь я. — А чем они главнее остальных?

— Не главнее, а упрямее. По сравнению с другими они оказались самыми стойкими, практически не ассимилировались и сохранили язык. Ну, а главное — их квартал. Вот это — орешек! И тему вашу обыграете: гляньте на их неприязненные окна. Мало крупной решетки, они еще и железной сеткой окно затягивают — видать, есть что скрывать. Вы только вдумайтесь:

остальная часть Старгорода разрушалась всеми, кому не лень было сюда нагрянуть... а Армянский квартал не пострадал ни от римлян, ни от византийцев, ни от персов, ни от арабов. Оцените, тетя: сколько тайн, сколько документов там может храниться. А если вспомнить их разбросанную по всему миру и очень богатую диаспору? Сколько родственных связей, сколько ценностей, принятых на хранение «в минуты роковые»! Вообразите — сколько там тайников, а?! На три романа хватит. И учтите: почти все этнические армяне Старгорода — потомки семей, проживающих тут с I века до новой эры... Среди воинов Тита, громившего Иерусалим в 70 году, были и армяне; они хорошо воюют, их и тамплиеры с охотой нанимали.

Леша удовлетворенно откидывается на стуле, словно минуту назад решил наконец, о чем мне надо писать.

— Да, да — только армяне! — провозглашает он и шлепает ладонью по столу жестом руководителя проекта, подводящего итог совещанию: — Армяне — самый благодатный материал. Возьмите их Школу Святых переводчиков. Там десятки тысяч древних манускриптов. А доступа в нее нет — даже именитых ученых не пускают, такой скандал, — впрочем, армяне всегда на всех плевали. Причем на Школу переводчиков несколько раз покушались, но она под такой защитой, что все попытки заканчивались провалом. И покушались всегда... внимание, тетя! — ортодоксальные евреи. Говорят, даже Любавический ребе благословлял своих питомцев «на разведку». А знаете — почему?

Я спохватываюсь, что, как обычно, уже втянута в очередную невероятную Лешину историю и даже мысленно лихорадочно выстраиваю ходы фантасмагорического сюжета... несмотря на то, что не раз давала себе слово никогда больше не поддаваться на...

— Ну, почему? — иронически глядя на Осипова, спрашиваю я. — Только учтите: весь этот Голливуд серьезные люди не хавают...

— Да потому, — со спокойным достоинством произносит Леша, не обращая внимания на мои жалкие наскоки, — что, согласно некоторым, весьма упорным слухам, именно там спрятаны Скрижали завета!

— Здрасьте! — смеюсь я. — Скрижали... А Скрижали вам не жали?

— Мне — нет... Только нынешний папа Бенедикт XVI завершил свой вояж на Ближний Восток визитом к иерусалимским армянам. С чего бы это?!

Он вынимает из чашки с недопитым капучино ложечку и, победно на меня поглядывая, аккуратно ее облизывает.

Вот так всегда: слушаешь его, слушаешь с недоверчивой улыбкой, а потом…

3

«Мы, таинственно изображающие херувимов…»
«Херувимская песнь», Литургия верных армянского
богослужения по древней иерусалимской практике

С привратником собора Святого Иакова Армянской Апостольской Церкви (он сидит в подворотне, закинув правый локоть за спинку стула, а левой рукой машинально оглаживая брюхо — видать, только что отобедал) лучше говорить на английском; израильтян этот сукин сын недолюбливает, как и все иерусалимские армяне.

Можно было бы разобраться в вопросе, вступив с ним в подробную перепалку, но неохота, да и некогда: я гуляю по Старгороду со своей американской приятельницей и хочу беспрепятственно проникнуть во двор этого славного храма. Двадцать лет я завожу сюда гостей из разных стран и никогда не уверена в успехе предприятия: благорасположенность привратника зависит от неведомых мне причин — от настроения, от пищеварения и прочих соображений, вдаваться в которые себе дороже.

Речь о том, чтобы вломиться в само здание храма, вовсе не идет — там и во дворе есть что показать гостям: могилу, где захоронена голова святого Иакова (одного из тех галилейских рыбаков, которых Иисус лично призвал на проповедь Евангелия); висящие на цепях деревянные доски — «накусы», по которым много веков подряд армяне колотили, призывая верующих к молитве, ибо вплоть до конца XIX века мусульмане запрещали колокольный звон; и наконец, самое, на мой взгляд, интересное и странное: пологи из кожзаменителя, прикрывающие вход во храм.

Поэтому я предоставляю право моей приятельнице культурно по-английски выяснить у этого носорога, можно ли нам пройти через подворотню в небольшой прямоугольник двора, где и находятся вышеназванные достопримечательности…

И тут выясняется, что впервые за 20 лет я сподобилась оказаться в соборе перед началом службы: не успевает старый хрыч открыть рот, как в подворотню в длинных черных рясах попарно входят «тридцать витязей прекрасных»; из ближайшей — через дорогу — семинарии привели на молитву семинаристов.

Сразу скажу, что к иерусалимским армянам у меня слабость. Особенно к священникам. Как пропел поэт — «все они красавцы», а я люблю смотреть на красивых людей.

И вот, совершенно завороженные видом чернобородых статных и сумрачных красавцев-семинаристов, две немолодые тетки молча следуют по пятам стройной колонны во двор храма. Скатки пологов развернуты, их яркая пестрядь напоминает гобелены Сергея Параджанова — та же национальная традиция.

Внутри собора я оказываюсь впервые и сначала не понимаю, чтó мне здесь кажется странным. Вот что: здесь нет окон, следовательно, нет и витражей, нет того праздничного, просторного голубого воздуха, что заполняет обычно сводчатую вертикаль любого собора.

Зато подслеповатый храм освещают множество лампад из цветного стекла: чуток ярмарочной карусели, чуток рождественской елки. Они на разной высоте свисают с округлых сводов, вьются вокруг колонн, облицованных сине-голубыми плитками, и праздничным созвездием собраны над тремя алтарями. Самый высокий — алтарь святого Иакова. Среди икон глаз выбирает одну, больше похожую на портрет: чернобородый Иисус — ни дать ни взять молодой семинарист-армянин — прямо и требовательно смотрит перед собой.

(К слову: кое-кто из историков утверждает, что армяне — потомки угнанных и рассеянных Навуходоносором израильских колен; филологи уверяют, что в армянском языке есть множество слов из иврита, а знатоки Талмуда сообщают, что род Баграти (он же Баграмян и Багратиони) — это известный священнический еврейский род. Но — оставим щекотливую тему; кому хочется быть чьим-то дочерним предприятием! Хотя когда-нибудь я все же раскочегарю на диспут толстого привратника.)

Мы с приятельницей садимся на скамью у самого входа, стараясь быть как можно неприметней. Впрочем, семинаристы, разделившись на два отряда, расходятся по боковым апсидам, и в храме вновь водворяется пустынная тишина. Тихо мерцают мириады лампад, где-то шаркают шаги, шелестит густой мужской шепот. И в тот момент, когда мы, переглянувшись, решаем ретироваться, как раз и начинается служба.

Из дверных проемов справа и слева одновременно появляется по фигуре. Я не сильна в христианской литургии, тем более в армянском апостольском каноне, поэтому просто готова быть благодарным зрителем некоего спектакля: вот разошелся занавес, и на освещенной сцене возникает первая картина пьесы. Сойдясь в центре, двое поворачиваются лицом к алтарю — перед нами два стройных широкоплечих силуэта в черных рясах, с плеча у каждого свисает нечто вроде цветного шарфа или широкой ленты. Ничего не понимаю, но очень красиво. Очень красивы и низкие скорбные голоса, баритон и бас, неожиданно страстно проговаривающие речитативом тексты молитв. Наконец они расходятся в разные стороны, вновь наступает тишина — сцена пуста, горят лампады, запах ладана, проникая в самую носоглотку, напоминает мне, что вечером стоит проглотить таблетку от аллергии — и через мгновение с обеих сторон появляется следующая пара…

Скоро я просто теряю счет этим великолепно отрепетированным театральным выходам: широким мерным шагом, по одному, затем опять по двое, семинаристы появляются то из левой, то из правой кулисы. Густые темные голоса проникновенно молят о чем-то на незнакомом, на слух не совсем армянском языке, вероятно, не менее древнем, чем арамейский.

В конце концов меня настигает нечто вроде медитативного транса: я прикипела к скамье и готова сидеть тут до скончания века, глядя на вензеля загадочного ритуала, что выписывают фигуры юношей, слушая баритональную вязь грозного речитатива. В какой-то момент я даже прикрываю глаза. Языка не понимаю, ну что ж: язык всех на свете литургий прекрасен. Отмахиваясь от приятельницы, утомленной однообразным менуэтом черных фигур, я медлю и, не открывая глаз, мысленно кружу вослед одинокому голосу в потаенно блистающей, душноватой и безоконной утробе храма…

Вернувшись домой, лезу в Интернет за текстами армянской литургии. Мне хочется сопроводить смыслом по-прежнему звучащие в голове муж-

Кафе «Бернард Шоу». Три грации. *2004*

ские голоса. Полного русского перевода нет, просто перечислен порядок «служения девятого часа, посвященного крестной смерти Иисуса и освобождению человечества от власти ада». Среди молитв и песнопений — гимн: «Дневная звезда разделила Твои страдания»... Я вспоминаю сакральную полутьму древнего армянского храма и два резных трона, из которых один — с балдахином — предназначен для духа святого Иакова (совсем как бокал пророка Илии у нас на Пасхальном седере). Как все же свойственно человеку стремление овеществить дух, думаю я, хотя бы во что-то воплотить его; как хочется усадить его на трон, напоить вином — заставить проявиться хоть каким-нибудь земным, понятным смертному способом. И это вечное стремление — доказательство не веры, а безверия, когда на вершине самого страстного моления ты, как ребенок, ждешь в глубине души, чтобы «вылетела птичка».

Вообще много разных мыслей возникает у меня по данному поводу, но все заглушает гулкий речитатив одинокого мужского голоса.

Дневная звезда — солнце Иерусалима — разделяет страдания смертных...

* * *

Магазин керамики Оганесяна расположен на первом этаже одного из тех зданий Армянского квартала, которые вьются непрерывной глухой стеной вдоль щербатого тротуара шириной в локоть. Стена стара, неприступна и вид имеет, мягко говоря, неприветливый — из-за маленьких окон, прорубленных как попало в верхней ее части, защищенных толстыми железными прутьями, а поверху еще и затянутых железной сеткой. Интересно, каким видят небо добровольные обитатели этой тюрьмы?

Но ничего не поделаешь: так армяне оттораживаются от беспокойной жизни остальных обитателей Старгорода.

Итак, вы идете вдоль древней неумолимой стены, по самому узкому в мире тротуару, отирая боком и задницей (если надо уступить эту тропу группе туристов) витрины, балансируя и оступаясь. Впереди у вас — низкая и глубокая арка, миновать которую — сущее наказание, ибо в спину вам гудят медленно ползущие машины, и чтобы их пропустить, надо вжаться спиной в грязные и усталые от минувших тысячелетий камни, распластаться по ним, подобрав живот и по-чаплински разведя врозь носки. И вот когда, улучив момент, вы бросаетесь к выходу из арки, справа открывается шикарный вид на витрину магазина керамики Оганесяна.

Я зашла, чтобы купить подарки перед поездкой в Москву, но вместо подарков, как обычно, купила четыре крошечных изразца с бегущей синей ланью (собираю эти изразцы уже несколько лет в надежде, что когда-нибудь облицую ими пока несуществующий камин в своем пока несуществующем доме).

Незнакомый мне мастер — средних лет лысоватый армянин с маленькими, женскими, скупыми в движениях руками — сидел за столом в окружении красок и тонких кистей, которыми расписывал заготовки. Склонясь над столом, не обращал на меня никакого внимания. И я добрых полчаса разгуливала по магазину, перетрогав и пересмотрев, кажется, весь товар — все вазочки, блюда, чашки и изразцы, — хотя за многие годы выучила наизусть керамический канон армянских мастеров.

Признаться, я больше люблю иранскую керамику — ее размытый, дымный, голубовато-зеленоватый фон, по которому снуют вездесущие вуалехвостые рыбки с томными глазами. В ней есть покой и лень, мягкость линий — что начисто отсутствует в керамике армянской, с ее цветовой жесткостью и резкой линией рисунка, где уж синий, так синий, а красный, так уж такие забористые гранаты, что зубы ломит от кислоты...

Мастер молча работал, я молча бродила, в динамиках тихо звучала какая-то армянская мелодия. Судя по тому, что фамилия художника была Оганесян, можно было предположить, что он какой-нибудь праправнук того знаменитого Давида Оганесяна, который в начале прошлого века прибыл в Иерусалим по приглашению британских властей для реставрации изразцов на стенах мечети Омара, да так и остался, основав школу армянской иерусалимской керамики.

Наконец я подошла к столу, уплатила за изразцы и спросила мастера — не родственник ли он того Оганесяна? Он помотал головой, тщательно выговаривая:

— Ноу иврит!

Я кивнула с невозмутимым видом, бормотнув:

— Вот говнюк!

Подняв на меня выпуклые черные глаза, он чистосердечно проговорил по-русски:

— Не говнюк. Просто не понимаю.

И мы разговорились.

Мастера звали Гурген, родом он из городка, что километрах в ста от Еревана, приехал сюда лет десять назад — родственник позвал, он священник в церкви Ангелов, знаете, в глубине квартала? Там, где во дворе оливковое дерево, к которому Иисуса привязали перед допросом у Каиафы, и тогда ангелы закрыли свои лица, чтобы…

— …чтобы не видеть его страданий… Хотя мне всегда казалось, что могли бы и подсуетиться — например, вознести его живым до всех этих неприятностей, нет?

Ну вот, приехал он, его женили… Жена — ливанская армянка… Да, наша керамика очень древняя — с XV века. Кютахья, Изник… все эти места. Но ведь там после резни 15 года армян больше нет; там теперь турки — вы знаете, да? Это наша национальная трагедия (и никто не вознесся живым, никто). Только про армянский геноцид в мире не говорят — заговор… Вот евреи со своим геноцидом…

— Да-да, чей больше…

— Да вы не обижайтесь… Я к тому, что настоящая традиционная армянская керамика осталась только в Иерусалиме.

Я села на табурет напротив него и, уперев локти в стол, принялась мечтательно вспоминать армянское кладбище в Ташкенте, на чьих парковых аллеях прогуливала консерваторские занятия. Немыслимой роскоши памятники из черного мрамора с золотой искрой. Античного покроя статуи юных армянских бандитов в полный рост, с пламенными стихами на постаментах: «Ты преждевременно ушел, покинув нас навек… О, наш Армен! (тра-та-та-та), великий Человек!»

В магазин заходили туристы, одна американская пара купила товару на восемьсот долларов. Художник, так же низко наклонив голову, невозмутимо покрывал яркими красками изразцы и чашки.

— Ноу инглиш, — спокойно говорил он, — ноу франсэз, ноу спэниш…

* * *

Нет, если где и стоит ругаться — так это в армянской харчевне. Я непременно завожу всех своих гостей в этот глубокий подвал церкви Крестоносцев и — так уж получается — каждый раз ругаюсь.

Кормят в заведении сносно, кухня средиземноморская, обслуживание не то что пренебрежительное, но невозмутимое. Человеку, привыкшему со второго слова становиться близким приятелем любому официанту, постные типы, не умеющие ответить на вопрос: «Что сегодня дают умопомрачительного?», кажутся оскорблением рода человеческого.

Однако, нырнув в низкую арку входа и спустившись по крутой лестнице в подземелье, ты оказываешься в пещере Али-Бабы и — всегда, всегда! — замираешь в оторопи и восторге.

Два небольших мрачноватых зала заполнены сокровищами. В желтоватом свете видавшего виды подвала мерцают слабые лампочки старинных бронзовых люстр, что свисают на длинных цепях с потолка. За стеклами высоких черных шкафов, инкрустированных перламутром и слоновой костью, подсвечены лампочками серебряные украшения из коралла, оникса, яшмы, сапфира и граната, из бирюзы и янтаря... И волей-неволей, прежде чем сесть за стол, ты, как огромная кошка, крутишь алчные восьмерки перед зазывным их мерцанием. Грохоту ножей и вилок из кухни, выкрикам официантов и ровному шуму голосов посетителей сопутствует монетное дзэньканье воды в центральном зале, стекающей в полукруглый бассейн, украшенный изразцами.

Довольно часто там встречаются официантки, говорящие по-русски: ереванские армяне присылают сюда детей. Но что толку выяснять отношения с официантами. Вон за стойкой бара стоит владелец харчевни. Это пожилой и очень худой человек с желчным лицом и бесцветными рачьими глазами. Он никогда не улыбается и никогда тебя не узнает, хотя ты появляешься тут с завидным постоянством вот уже двадцать лет. Но разговорить его можно. В последний раз, взбешенная новым их правилом — не подавать кофе, если клиент не заказал обеда, — я доброжелательно спросила его, почему в здешнем меню нет блюд грузинской кухни.

Знала, что́ спрашиваю. Особых друзей в Старгороде у армян нет: живут обособленно, чужих не любят. У них большие претензии к израильтянам, с греками тоже свои судебные и религиозные тяжбы. Но бо́льших врагов, чем грузины, нет у иерусалимских армян. Дело в собственности. Грузины, в свое время поладившие с мамелюками, пользуясь их покровительством, немало поживились собственностью армянской церкви. Так что разборки и драки длятся до сих пор.

— За грузинской едой иди к грузинам! — мрачно парирует хозяин.

— Пойду, — отвечаю я, не повышая голоса, с тем же доброжелательным выражением лица. — Грузины никогда не откажут человеку в чашке кофе, не то что тут.

И уже миновав нижние ступени лестницы, делаю последний выпад, бросая через плечо:

— Жаль, что у грузин в Старгороде больше нет своего квартала.

Он вспыхивает и кричит мне в спину:

— Грузины просрали свой квартал! Просрали!

Вообще-то он прав. В XVII веке власти Османской империи изобрели новый закон об уплате земельного налога для всех христиан Иерусалима, причем платить выходило сразу за многие годы. Ситуация была катастрофической, и главы разных конфессий искали и находили из нее каждый свой выход. За греков уплатили русские, у богатых католиков проблем не было. А вот с грузинами и армянами вышла поучительнейшая история. Армянский патриарх, выпросив у паши полугодовую отсрочку, заковал себя в цепи и, оставив в заложниках всю свою общину, пошел по миру — собирать деньги. Полгода ходил пешком по Малой Азии, Киликии, Ирану… Вернулся с такими деньжищами, что не только от налогов откупился, но и монастырь отстроил, и землицы прикупил. Грузины же ничего не предприняли и — как та стрекоза в известной басне Лафонтена — с некоторым удивлением обнаружили, что срок уплаты миновал и делать нечего, кроме как распродавать имущество. Тут подсуетились расторопные хитроумные греки, выкупили грузинские владения, после чего часть земель перепродали кому ни попадя… так что место, где когда-то был грузинский квартал, сейчас занимают францисканцы.

— Наш патриарх в цепях, в цепях по миру ходил!!! — восклицает хозяин харчевни, вращая рачьими глазами и воздевая обе руки, будто демонстрируя на них невидимые цепи. Я наблюдаю патетическую сценку с истинным удовольствием театрального гурмана. Вот они, страсти Старгорода: этот пожилой армянин вопит так, словно патриарх вернулся с добычей в истерзанных кандалами руках лишь на прошлой неделе. — Пешком по миру ходил, просил ради веры, ради народа своего! А эти — тьфу, бездельники! Песни поют… Иди к грузинам!

Вообще-то к грузинам я и так хожу регулярно, хотя это не старгородские, а наши советские грузины, и ресторанчик «Кенгуру» они держат за стенами Старгорода, в туристическом районе Нахалат Шива. Они и готовят вкусно, и — да, и песни красивые можно там послушать, и кофе отличный подают без всяких условий.

Я поднимаюсь еще на три ступени по крутой лестнице, оборачиваюсь и говорю в спину хозяину заведения:

— Вот к грузинам и пойду. Пообедаю у них шекелей на триста! А у тебя ноги моей больше не будет!

Однако знаю: пройдет время, негодование мое померкнет, приедут новые гости, и я опять поведу их показывать пещеру Али-Бабы. Уж больно интересно наблюдать, как вспыхивают глаза у нового человека, как отражается в них мерцание серебра и камней в тусклом и колдовском свете безоконного подвала крестоносцев.

4

«…с Иеговой у него чисто личные отношения. Они спорят, орут друг на друга… Христиане в своих отношениях с Богом никогда не доходят до ругани. А вот евреи — сколько угодно. Они Ему устраивают семейные сцены».

Эмиль Ажар, «Страхи царя Соломона»

Пробегая по улице Бен-Иегуда, точнее, поднимаясь по ее горбатому хребту, я вдруг решила купить и съесть мороженое. За последние годы это случается все реже. Вероятно, с возрастом вкусовые предпочтения дрейфуют от сладостей к более суровым пищевым выражениям. Но в тот день и в ту минуту мне почему-то очень захотелось мороженого.

Я вошла в угловое, со всех сторон открытое кафе, где в стеклянной витрине представлены в поддонах все цвета, включая пурпурно-малиновый и даже темно-синий, и долго выбирала сорт, импровизируя, придумывая вкусовые сочетания и трижды меняя окончательное решение… Наконец терпеливая девушка за прилавком нырнула круглой ложкой в поддон и загрузила в вафельный конус два сорта: шоколадный-какао и ванильный с вишнями. После чего я вышла на улицу и села за круглый стол под оранжевым тентом — единственный свободный из трех столиков этого крошечного кафе.

Слева от меня сидели под тентом двое пожилых мужчин. Перед ними стояла бутылка воды и бокалы.

За столом справа обосновалась целая семья — мама и двое детей: мальчик лет шести и девочка помладше, с дикой кудрявой копной рыжих волос, которая под оранжевым тентом горела неистовым огнем. Малышка одолевала розово-ореховый курган в стеклянной вазе; она разыгрывала перед самой собой какое-то представление, то взбираясь ложкой по склону, изображая альпиниста, то бросая ложку с испуганным вскриком (альпинист падал с горы), — странно, что мать позволила ребенку столь безумное пиршество. Помимо упорного восхождения ложкой по склону мороженого утеса девочка еще совершала множество действий: болтала ногами, мурлыкала песенку и беспрестанно делала замечания старшему брату, хотя тот как раз вел себя безупречно. Мать, такая же рыжая, как дочка, в диалог детей не вмешивалась. Она жмурилась на солнце (тень от тента не доставала до ее стула) и явно просто наслаждалась минутой. Обе они, мама и дочка, были похожи на двух иерусалимских кошек: большую, блаженно ленивую, и маленькую игривую кошечку.

Нет, у нас вафли были вкуснее, думала я, подхватывая языком крошащиеся осколки конуса. У нас они были тонкие, хрусткие, а напитавшись сладкой мороженой жижей, вообще приобретали божественный вкус. Тут не вафли, а картон какой-то… Вот у нас… («У нас» — это в детстве; у нас, в детстве…)

— «Господь создал Адама, и женщину ему, — напевала малышка. — И жили-поживали они в саду Эдема»…

Да, вот такие песенки на темы общеизвестных библейских историй разучивают здесь малыши в детском саду, такие вот «жили у бабуси два веселых гуся». У каждой местности свой фольклор.

Телефонный разговор. *2010*

— «И Еву Змей подговорил, чтоб сорвала запретный плод — и съела!»

— Не болтай ногами, — сказал брат. — Ты мне уже три раза по коленке заехала.

— А ты убери свои ноги подальше! — парировала сестра, слизывая языком с верхней губы сливочный ус. — Они у тебя слишком длинные… «И Ева съела с древа плод, и Бог рассвирепел… И выгнал — из Эдема вон! — двух этих наглецов…»

Со стороны перекрестка к двум мужчинам, что сидели слева от меня, приближался третий — их дружок, а может, просто знакомый: шел, раскинув руки, словно собирался обнять сразу обоих с такого расстояния. Беседу он начал, как это принято у местных, шагов за пятьдесят, громко и оживленно, сопровождая каждое слово не только мельканием вездесущих рук, но и всем лицом. Подошел, придвинул стул, присел третьим и, не глядя в сторону официантки, щелкнул пальцами, чтоб ему тоже принесли бокал.

Я не вслушивалась в их разговор, просто сидела и смотрела на пульсирующий толпой перекресток двух пешеходных улиц. Это была дневная толпа, то есть, в отличие от толпы вечерней, ведомая какими-то целями и заботами. И все равно над перекрестком, над головами людей, над домами витало то, что всегда в этом месте витает: непреходящая жизнь, ленивая свобода и отсутствие страха. Очевидно, поэтому многие теракты случаются именно здесь, ведь главная цель любого зла — устрашение. Но над этим присмотренным ангелами перекрестком жизнь всегда звенела и щебетала уже наутро после смерти. Возможно, есть на земле места, где страх преобразуется в какое-то иное летучее вещество…

Все эти мысли я лениво прокручивала в голове, преступно пожирая мороженое.

На каменных тумбах в некотором отдалении один от другого сидели два музыканта: саксофонист и ударник. Они, казалось, не имели никакого отношения друг к другу, но ударник, лениво поколачивая в бубен и вяло им потряхивая, чтобы взбодрить колокольцы, явно попадал в ритм к саксофону. Иногда они переглядывались. Перед каждым на брусчатке лежала картонная коробка из «Макдональдса». Видать, ребята решили удвоить гонорар, не учитывая психологии прохожего.

— Э-э, разве это музыка, — заметил один из мужчин, отворачиваясь от музыкантов. — Долдонят западную муть, будто нет у нас своих песен…

— Н-да, — насмешливо заметил второй. У него, как у Моше Даяна, была на глазу черная повязка, которая странным образом очень ему шла, придавая блинообразному лицу некоторую мужественность. — То ли дело твоя марокканская песня: «Рахе-е-ели, моя постель без тебя холодна…». Прямо за душу берет!

— Э-э, — отозвался Дуду, презрительно покручивая пятерней, держащей невидимое яблоко, — распространенный жест у восточной части населения. — Я не об этом, я о настоящем. Сюда бы сейчас Шломо Карлебаха…

— А кто это? — спросил третий. У него в руке был свернут в трубочку какой-то документ или чертеж — короче, что-то важное, что страстно обсуждали они с приятелем, перед тем как появился Дуду. И этой трубочкой он то и дело себя почесывал в разных местах, даже до спины доставал.

Дуду мгновенно вспылил и вновь принялся крутить пятерней с невидимым яблоком:

— Ты меня спрашиваешь — кто такой Шломо Карлебах, приятель?! Стыдно не знать! Это поющий раввин, ясно тебе? Знаменитый на весь мир поющий раввин!

Одноглазый кивнул:

— Да, Карлебах… он уже умер. Такой поющий проповедник. Играл на гитаре и пел песни, ну типа с божественным смыслом… И лицо у него… как у царя Давида.

— Откуда ты знаешь, какое было лицо у царя Давида? — насмешливо спросил тот, другой, и почесал трубочкой за ухом.

Я решила понаблюдать, подаст ли кто-нибудь сразу обоим музыкантам на променаде, и одновременно прислушивалась к звонкому голоску рыжей девочки, поэтому не заметила, как подошла та женщина.

Опустившаяся, лет сорока пяти, с грязной всклокоченной головой, в старом тренировочном костюме, отвисшем на грузной заднице, и в растоптанных мужских сандалиях. Она что-то жевала. Приглядевшись, я опознала в руке у нее шарик фалафеля.

Она остановилась против мужчин, запихнула в рот остаток фалафеля и отряхнула ладони. И заговорщицки улыбаясь, стала медленно приближаться к ним, нетвердо ступая по брусчатке в своих лаптях с оттоптанными задниками. Мужчины умолкли, настороженно следя за перемещениями бродяжки. Приблизившись к одному из них — тому, кто явился позже и кого приятели звали Дуду, — она с трогательным выражением на лице, со щекой, оттопыренной непрожеванным куском, проговорила:

— Я люблю тебя!

Тот поднял обе руки, как бы сдаваясь, и серьезно ответил:

— Увы, я женат.

Она продолжала молча стоять, любуясь этим лысым боровом.

— Так что всего тебе хорошего, — добавил он твердо.

— Люблю… — несколько даже удивленно и доверчиво повторила она.

— Спасибо, спасибо… Иди себе с богом…

Солнце еще полоскало белье, вывешенное на балконе третьего этажа. Во многие окна этих домов, построенных во времена Британского мандата, были вставлены квадратики цветного стекла — синего и красного, так что на закате солнце мягко касалось лучом того или другого (так кошка трогает лапой уснувшего котенка), добавляя еще чуток цвета и игры витающей над этим местом улыбчивой жизни.

Рыжая девочка слева продолжала распевать песенку. Она делала это обстоятельно, по одной строчке после каждой ложки:

— «Сказал Господь: "Ты в страшных муках, Ева, родишь своих детей!" А Змею он сказал…» — умолкнув на миг, сглотнула и как ни в чем не бывало продолжила: — «А Змею сказал: "Хлеб свой добудешь в поте лица своего!"»

— Это он не Змею, — вмешался старший брат, — это он Адаму назначил.

— А при чем тут Адам?! — возмутилась малышка. — Адам тут вообще ни при чем!

Улыбаясь, мать молча смотрела на детей, ни словом не вмешиваясь в их диалог. Я подумала — как мудра она, эта ленивая рыжая кошка Иерусалима…

— Иди, — мягко сказал бродяжке лысый бугай. — Иди с богом, моя дорогая. Я тоже тебя очень люблю. И его люблю. И вот его — тоже… Все люди должны друг друга любить. Иди, дорогая, с богом.

Он достал из кармана горстку мелочи и протянул женщине. Та стояла, не шевелясь, с тем же блаженным восторгом в лице. Здесь много солнца, думала я, с упоением догрызая вафельный конус и понимая, что на встречу, куда спешила, конечно же, опоздаю, — навалом солнца и до фига серотонина… И все кругом слишком часто произносят всуе Его имя…

— И вообще! — воскликнула девчушка, решительно воткнув ложку в недоеденный курган мороженого. — Мне этот господь надоел! Чего он выпендривается! Он что — самый главный?

— Именно, — парировал брат.

— Поглядим еще, — заявила достойная наследница Евы. — Может, я тоже могу стать богом.

— Нет, ты не можешь, — хладнокровно заметил брат.

— Почему?

— Потому, что Бог — мужчина, а ты — женщина.

Пожилая бродяжка еще с минуту постояла возле столика, переминаясь в своих оттоптанных лаптях, потом повернулась и медленно двинулась вверх по Бен-Иегуде.

— Что ты ей здесь втюхивал про любовь, а, Дуду? Ты кто — Ешуа? — насмешливо спросил одноглазый.

— Бедная, — проговорил, отворачиваясь, лысый Дуду. — У нее разбитое сердце, а?

— Да нет, — охотно отозвался его одноглазый приятель. — Просто мозги не в порядке. У нас таких много и всегда много было. Понимаешь, когда народ такой старый, как мы, у него много сумасшедших.

— Ты не можешь знать, кто сумасшедший, а кто — пророк. «Нет ничего цельнее разбитого сердца, — сказал рабби Симха-Буним, — нет пути прямее кривой лестницы и нет ничего кривее прямого высказывания…» Элиягу тоже считали сумасшедшим.

— Тогда иди, догони ее и скажи ей, что она — пророк. Она же о любви говорит.

— Ешуа тоже говорил о любви, — заметил третий, с трубочкой, свернутой из документа, — и тоже был сумасшедшим, а потом его сделали богом, а нас — козлами отпущения.

— Тогда иди, догони ее, скажи ей, что она — бог.

— И вообще! — воскликнула девочка. — Где он вообще, этот твой бог? Где он живет?

— Он живет высоко, — спокойно отозвался брат.

— Где, где — высоко? В «Хилтоне», что ли? На двенадцатом этаже?

— Да нет, вот глупая. Бог на небе — поняла?

Несколько мгновений девочка молчала, в замешательстве глядя на брата.

— Ну, такого просто не может быть! — решительно заявила она.

Любопытно, подумала я, что не только мать не вмешивается в разговор детей, но и они не терзают ее никакими вопросами, не втягивают в спор, не призывают в судьи. Ей-богу, это необыкновенные дети и необыкновенная мама.

Мальчик вздохнул, протянул сестре салфетку (она измазала подбородок мороженым) и примирительно проговорил:

— Ладно, приедем домой, посмотрим в Интернете…

Господи, подумала я, в кои веки я просто захотела съесть мороженого. Могу я, черт возьми, в этом городе просто съесть мороженое, без всего этого высокого сопровождения: без рассуждений справа и слева о добре и зле, о Боге и ангелах, о поющем раввине, о рабби Симхе-Буниме и роли Иисуса в еврейской истории…

Тут мальчик повернулся к матери и молча быстро что-то *сказал ей* руками. И она ему что-то *ответила* еле заметными движениями полных и плавных рук. Она стряхнула с себя последние крошки блаженного оцепенения, достала кошелек и вложила купюру в плоскую книжечку счета… И втроем они пошли вверх по Бен-Иегуде, куда и я должна была идти, но не могла. Просто не могла подняться.

Поистине, думала я, в этом городе в спор о Боге не вмешиваются только глухонемые…

5

И все же на встречу я успела. Может, все дело в том, что заседания в иерусалимских судах обычно затягиваются; обвинителю и защитнику всегда есть о чем поспорить, а судье — о чем подумать, прежде чем вынести вердикт. Так что моя приятельница Рина (она адвокат) как раз выходила из здания суда, где мы с ней и договаривались встретиться.

— Ну, как там обвиняемый — оправдан? — спросила я Рину, понятия не имея, о каком деле речь. Просто мы давно собирались встретиться, пообедать и поболтать, и вот, пожалуйста, — она выходит после судебного ристалища, мечтая о еде, как лесоруб после валки зимнего леса, а я зачем-то съела мороженое. Какого дьявола я всегда порчу себе настоящее удовольствие мелкими потаканиями минутным капризам?

— Все обошлось, — весело отвечает Рина и машет рукой. — Ой, пойдемте уже, рухнем где-нибудь, я ужасно голодна. Сядем, и я вам расскажу забавную историю.

Через десять минут мы сидит в кафе «Вчера, позавчера», что приткнулось в закутке длинной сквозной щели, именуемой «Иерусалимским двором». Ни один турист не разыщет это сугубо иерусалимское заведение в недрах неказистого каменного дома, не лишенного, впрочем, своеобразного арочно-оконного очарования.

Это две небольшие комнаты, которые язык не повернется назвать «залом».

Все здесь старое; не антикварное, а именно старое — такую мебель принято называть «бабушкиной»: глубокие продавленные кресла, венские стулья, круглые обшарпанные столы без скатертей. В стенных нишах стоят хлипкие бамбуковые этажерки, хрипло стонущие под грузом книг.

Место культовое, университетское (тут часто выступают израильские писатели), и вечерами в двух этих комнатах бывает тесно и шумно. Но сейчас никого, кроме нас, нет. Мы выбираем лучший стол у глубокого и узкого арочного окна, формой напоминающего книжную закладку, — такие окна встречаются лишь в старых иерусалимских домах.

(В этом месте моей новеллы читателю может показаться странным, что на протяжении сорока страниц я шатаюсь по Иерусалиму, при каждой возможности заруливая в кафе, таверны и рестораны. У читателя может сложиться впечатление, что сведения о местной жизни я добываю, сидя с разными людьми за разными столиками, с видом на разные окна. Читателю это может, в конце концов, и надоесть. В свое оправдание могу лишь заметить, что и до меня многие писатели, желая вывалить те или иные сведения, добытые ценой долгого и вдохновенного безделья, усаживали своих героев за столики подобных злачных заведений — ибо ничто так не оживляет литературного диалога на странице той или иной книги, как вовремя принесенное официантом филе лосося под белым соусом.)

Как раз филе лосося мы и заказываем, потому что здесь его готовят отменно, добавляя какие-то незнакомые мне специи.

Я предвкушаю очередную забавную историю из жизни израильских уголовников: Рина превосходная рассказчица, обстоятельная и ироничная. Она никогда не забегает вперед, детали добавляет по мере развития сюжета и даже когда отвлекается — на описание внешности персонажа, например, — неизменно возвращается к сути рассказа.

Начало истории, говорит она, незамысловато: некий Шломо, мелкий ремонтник, работал в квартире некоего раввина в городке Бейт-Шемеш. Не бог весть какая работа — там подкрасить, тут подмазать, заменить краны в ванной и на кухне, побелить спальню… Договаривались они об одной сумме, а рав по окончании ремонта решил, что довольно будет и меньшей. Короче, тут трудно рассудить — то ли раввин оказался свиньей, то ли Шломо свое дело сделал халатно, — суть не в этом. Суть в том, что, занимаясь побелкой в спальне, Шломо наткнулся на сейф…

За столиком кафе. *2008*

Это бывает. Но вот что бывает крайне редко: сейф оказался открытым. Шломо клянется, что случайно задел дверцу и та распахнулась, обнаружив несчитанные пачки зеленых. Прямо таки прорву зелени!

Так что чарующая картина богатства возникла перед глазами Шломо именно тогда, когда ему недоплатили ровно восемьсот шекелей. Сумма небольшая, но обидно.

В тот же вечер, выпивая пиво в компании своих коллег-ремонтников после матча «Маккаби» (Хайфа) — «Бейтар» (Иерусалим), Шломо поведал им о своей обиде, не забыв упомянуть, что деньги-то у этого божественного хмыря есть… Юрий и Александр — так звали его напарников — предложили восстановить справедливость. Если сейф имеется и есть в нем зелень, так надо его открыть, а зелень поделить меж тремя порядочными людьми.

— Мне — только то, что причитается! — сразу заявил Шломо. — Большего мне не надо, я человек честный.

У Юрия и Александра были свои виды на денежки.

Пару дней они разрабатывали операцию, все было выверено и точно рассчитано (люди образованные, читающие, в Советском Союзе они не занимались ремонтами): из черных чулок вырезаны маски, игрушечные пистолеты закуплены в детском отделе магазина «Машбир».

Шломо привез подельников на машине к дому раввина и обязался ждать неподалеку.

— Мне, — гордо напомнил он, — только мои деньги. Мне чужого не надо! Я — честный человек.

А план, надо сказать, был довольно изящным: дождаться момента, когда после окончания службы в синагоге рав вернется домой и отворит ключом дверь, затем втолкнуть его внутрь квартиры, там связать и… ну, там дальше будет видно.

Однако вместо раввина из синагоги явилась ребецин. Впоследствии выяснилось, что в день скандала со Шломо рав достал из сейфа все деньги и сбежал от жены в Америку, уверив ее, что едет налаживать ювелирный бизнес. Но все это обнаружилось позже.

А пока двое джигитов в черных масках поджидали у дверей рава, а явилась — фу ты, черт! — ребецин. С одной стороны — осложнение. С другой стороны — даже легче: с женщиной всегда легче справиться.

— А почему они не влезли в окно? — перебиваю я Рину.

Она улыбается (все друзья уже знают о моей временной одержимости «оконной» темой) и говорит:

— Нет-нет, Дина, тут вам не удастся поживиться ни единым окном. На окнах решетки.

Короче, напарники дождались, когда ребецин откроет дверь, подскочили сзади, крепко обняли ее и ввалились в квартиру. И некий голос над ее обморочно бледным ухом произнес с сильным русским акцентом: «Не волнуйся, *мами*, ничего плохого с тобой не случится!»

Ей велели лечь на диван лицом к спинке и не оборачиваться. И снова тот же самый голос с русским акцентом сказал ей: «*Мами*, не волнуйся, ничего плохого с тобой не случится!» После чего как раз и обнаружился полный провал операции: огорчительная пустота сейфа, бегство дальновидного негодяя-рава, ну и проч. Так что самодеятельные налетчики попросту убрались восвояси несолоно хлебавши. А ребецин, придя в себя, наутро пошла в полицию, где дала абсолютно правдивые показания, не забыв ту самую фразу: «Не волнуйся, *мами*, ничего плохого с тобой не случится!»

«Так тебе не нанесли... ммм... физического ущерба?» — спросил ее офицер, записывающий показания. Ответ был твердым: «Упаси Боже!».

«И тебе не угрожали побоями, пытками, смертью, не дай бог?»

«Наоборот!». И ребецин, явно волнуясь, повторила ту фразу, что, по-видимому, произвела на нее неизгладимое впечатление: «Не волнуйся, *мами*, — сказал этот бандит, этот *мамзер* несчастный, этот недоубийца! — ...не волнуйся, ничего плохого с тобой не случится».

После чего полиция города Бейт-Шемеш бумагу с показаниями потеряла.

И то сказать: досадно, когда в дом к людям вламываются грабители в масках, хватают тебя за плечи, заставляют лечь лицом к спинке дивана и держат так минут двадцать. Это обидно, и фраза «Не волнуйся, *мами*, ничего плохого с тобой не случится» мало утешает в подобной ситуации. Но с другой стороны — ничего ведь не пропало. Уверившись в провале своих намерений, гости в масках ушли, не забрав даже золотых часиков с руки ребецин. Подумаешь — великое дело! Тут автобусы с гражданами в воздух взлетают, тут настоящие террористы, чтоб они сдохли, пуляют снаряды на головы мирных жителей. Держала бы своего рава при себе и сказала бы спасибо, что такими деликатными людьми оказались эти горе-грабители…

Прошел год, женщина и сама уже забыла о происшествии. Рав по-прежнему морочил голову из Америки, уверяя, что налаживает там ювелирный бизнес.

В это время в отделение полиции Бейт-Шемеша пришел новый начальник, который разогнал половину подчиненных, набрал своих людей и приказал разгрести до основания авгиевы конюшни этого богоспасаемого полицейского участка. И заявление ребецин увидело свет! И ему, как полагается, дан был ход. И первая же версия вывела на Шломо — а на кого же еще! — который от испуга немедленно показал на Юрия и Александра, повторяя, что он-то человек честный и в этом деле как раз пострадавший. А если кого и надо упечь за решетку, так это рава, который недоплачивает рабочим и соблазняет их открытым сейфом, извергающим из своей утробы пачки долларов, чтоб они сгорели! Более того: и Шломо, и Юрий немедленно заключили сделку со следствием, и поскольку дело-то было плевое, ввиду вовремя унесшего ноги и деньги рава, выходил им небольшой срок общественных работ, что неприятно, но переносимо.

Следствие запнулось на одном лишь Александре. Тот сразу уперся и заявил, что никогда ни в каком Бейт-Шемеше не был, никакого рава знать не знает, никакой ребецин в глаза не видел, и фразы «Не волнуйся, *мами*, ничего плохого с тобой не случится» никогда не произносил ввиду абсолютного незнания трудного языка иврит.

Дело осложнялось. Запахло настоящим судебным расследованием с показаниями ребецин, с обвинителем и защитником, которым выпало стать именно Рине. И тогда, стоило лишь ребецин засвидетельствовать, что голос, прошептавший ей на ухо жаркие слова, был голосом Александра, как вышел бы тому срок гораздо больший, чем в случае сделки со следствием. По всему получалось, что Александр — дурак…

Рина поехала на встречу с ним, долго его убеждала, растолковывая юридический расклад, доказывая и объясняя все выгоды сделки со следствием. Но подозреваемый упорно стоял на своем, утверждая, что Шломо и Юрий, подлецы, просто втягивают его в свои грязные дела, а лично он, между прочим, имеет высшее образование и в первый раз слышит обо всем этом безобразии.... Пришлось Рине жестко предупредить своего подзащитного, что в случае отказа от сделки он, Александр, пострадает гораздо больше: получит настоящий срок.

Это произвело на него впечатление оплеухи. Он обомлел.

— Да вы что! — воскликнул потрясенно. — Шутите?! Не-е-ет... Я ни в какую тюрьму садиться не могу! Мне судимость не нужна. Меня ждут миллионы.

— Миллионы?! — с интересом повторила Рина. — Какие же это миллионы вас ждут?

— А вы что, русских газет не читаете?

— Да знаете... как-то не очень. Нерегулярно.

— А вы возьмите «Вести» за шестнадцатое, прочитайте интервью с профессором Гутником. Мы же нашли способ добывать воду из ничего! Вы понимаете, что такое бесплатная вода в этом безводном регионе?

— В каком смысле — из ничего? — с нажимом повторила Рина.

— Из ничего, из воздуха! — Он помавал в воздухе руками, как будто собирал воду себе за пазуху. — Видали, как по утрам на траве, на крышах машин роса образуется?

— Так-так... видала, да... И кто же ее будет собирать?

— Наша недавно зарегистрированная компания «Небесные воды». Профессор Гутник — да вы почитайте, почитайте его интервью! — он директор предприятия, а я — главный технолог. Я ведь по образованию химик. Это я раньше — так, подрабатывал на ремонтах. А теперь что? Теперь все, прощайте копейки. Меня, голубушка, миллионы ждут, и мне судимость ну никак не нужна...

В этом месте своего рассказа Рина с удовольствием засмеялась, будто сама залюбовалась красотой сюжета.

— С трудом уломала идиота, — проговорила она и отпила из бокала глоток белого вина, которое мы заказали к лососю. — Но как вам нравится сама идея? Я-то в этом вопросе ни черта не понимаю, но вдруг в ней есть зерно, так сказать? Вдруг они гении, спасители нации? А? Вот то-то и оно...

* * *

…Я шла к площади Кошек, где, как обычно, оставила машину на крошечной полулегальной стоянке, которую держат два лихих арабских угонщика. На этой стоянке работает тот же фокус иерусалимского расширения пространства: в закутке между рестораном и каменной лестницей, где могут поместиться не больше пяти машин, парни умудряются ставить пятнадцать. Происходит это тем же способом, каким выстраивались цветные плоскости на знаменитом кубике Рубика — минимальными челночными подвижками, — при условии, что ты оставляешь угонщикам ключи от машины. Не многие на это решаются, но я рисковая и, возвращаясь за своей колымагой, всегда обнаруживаю ее совсем на другом месте, но в целости и сохранности.

Наступало время моих любимых лимонно-летних сумерек. Воздух, полированный желтым маслом фонарей; юный месяц, плывущий над площадью Кошек, как потерянный кошачий коготок; полукруглые окна старых домов, доверху полные горячительным: вот желтоватый виски, вот янтарный коньяк, вот красное вино, зеленоватый абсент — и все теплится и двоится в нежно тающей дымке, сообщая улочке Йоэль Соломон приятельский *вид навеселе*.

Уже выстроились в каре на площади самодельные раскладные столы, с которых по вечерам здесь торгует своими *прикольными* поделками хипповатая молодежь. Уже стояли в ряд на земле наргилы из синего стекла, с мундштуками, сверкающими дешевым золотом. Уже некто вдохновенно-тощий, в пижамных штанах и с целым стогом витых сосулек на голове, настраивал гитару.

Мне оставалось миновать этот стихийный базарчик и свернуть к стоянке.

Вдруг я остановилась.

На бетонную тумбу слетелась стайка нездешних деревянных птиц. Это были чурочки, раскрашенные и поставленные на проволочные лапки, обмотанные грубой ниткой. Рука художника — настоящего художника — раскрасила их в жаркие и нежные тропические цвета, так что каждая птица была наособицу, а все вместе они производили оглушительное впечатление щебета и свиста и прямо-таки заливались и щелкали.

— Чьи?! — крикнула я по-птичьи, оглядываясь, и лохматое чучело в пижамных штанах, отложив гитару, суетливо подскочило ко мне. Господи, подумала я, разглядывая его, много чего я видала в этом городе...

У парня было лицо, пронзенное кольцами во всех абсолютно своих частях. Оно было перегружено железом, это вооруженное против всего мира лицо. Но глаза — карие и пушистые от ресниц глядели с какой-то восторженной и смешливой доброжелательностью.

— Откуда они? — спросила я, поглаживая пальцем по лаковой спинке то одну, то другую птичку. — Твои?

Он торопливо пустился объяснять, что птичек выстругал ножиком и раскрасил один парень, из этих, из африканских беженцев... И он не может сам продавать... болеет... ломает его, ну, сами понимаете...

Я не могла отойти от стайки диковинных птах. Я просто слышала, как они поют, каждая на свой лад... И стоили они какие-то копейки — узнав цену, я оторопела и впервые в жизни прикусила свой торговый язычок. Видно, этот, в пижамных штанах, хотел поскорее избавиться от всего птичника и присоединиться к приятелям, забабацать там что-нибудь на своей гитаре.

— Я возьму... — сказала я, доставая кошелек. — Две возьму... нет, три... Еще лазоревую с морковным хвостиком.

Стала выбирать, почему-то волнуясь. Да ясно, почему: я всегда волнуюсь, когда вижу настоящее. Долго колебалась — желтую, со спинкой цвета морской волны? переливистую зелено-голубую, с алым гребешком и смешным серым чубчиком, и... боже, какая за теми, первыми, стояла цесарка: черная, нахохленная, в белый горошек.

Желтый фонарь освещал эту птичью сходку, словно туманное солнце непроходимых джунглей.

— Постой, — сказала я растерянно. — Да что, в конце концов! Я всех беру! Сколько их тут — пять? Сгребай всех сюда, ко мне в сумку.

Он ужасно обрадовался. Это ж надо — рынок еще не встал, а дело сделано.

— Отнесу ему деньги, вот счастье-то! — повторял он.

— А ты что, — спросила я, поколебавшись, не уверенная, стоит ли спрашивать, — тоже из той... компании?

Он засмеялся, заколыхал огромным стогом косичек, как будто я сказала что-то особенно смешное.

— Когда-то, уже давно… — ответил он просто и опустил деньги в карман штанов, что болтались у него на бедрах, как рубище. — А сейчас я там волонтером. Многим ведь помощь нужна, знаете… Психологическая, ну и вообще…

— Понятно… — кивнула я, почему-то не отходя от этого парня. — Ну и грива у тебя! Ты прямо как библейский Авшалом, сын Давидов… Не тяжело носить?

Он махнул рукой и сказал:

— Тяжело, да уж скоро состригу. Я их раз в полгода стригу — на парики.

— На парики?

— Ну да… Детям — на парики. Есть же дети, что химию проходят и лысеют. Неприятно же, особенно девочкам… Так что я отращиваю, потом стригу. Отполируюсь до лысины — во будет картина!

Он помахал мне, отбежал к своей гитаре и, подняв ее с земли, крикнул:

— А вы — классная, совсем не торговались! Знаете, бывают люди такие — торгуются, торгуются… У них копейка больше, чем луна.

— Бывают, — согласилась я. — Встречаются такие сволочи.

И пока ехала домой, предвкушала, как сейчас тайком расставлю своих клювастых птах по всему дому, а Борис, спустившись из мастерской, станет находить их в разных местах и тихо ахать; знала, что ему понравится моя добыча, и вполне возможно, птички заживут еще и другой своей жизнью, в какой-нибудь его картине.

Вспомнила вдруг уголовную компанию по извлечению воды из небесных морей, засмеялась и подумала: что ж, если в данной идее действительно есть зерно, то Иерусалим, конечно, — самое подходящее место для добывания воды *из ничего*. Ведь здесь много чего *из ничего* получилось. Например, три великие религии…

Так, может, наконец разверзнутся хляби, отворится в Иерусалиме небесном великое окно, изливая на непокорную твердь Иерусалима земного потоки светящейся пустоты, напоенной благотворной влагой?..

...«Знай, — говорил рабби Нахман из Брацлава, — у каждого пастуха есть особая песнь, связанная с местом, в котором он пасет скот, и с травами, которые там растут. Ведь у каждой травинки своя особая мелодия, а из песни трав рождается песнь пастуха. Потому-то царь наш Давид, который был пастухом, и складывал песни...»

Иерусалим, октябрь 2011

Синий простор. *2011*

Долгий летний день
в синеве и лазури

Греческие вывески очень трогательны: они напоминают старательные детские письмена. Моя дочь в детстве так писала букву N — с перевернутой перекладиной. Видишь слово TABEPNA — и душа улыбается.

Вообще надписи, вывески, указатели, написанные на смеси родной кириллицы с таинственными зигзагами елочной конфигурации, рождают странное ощущение сна. Так во сне бывает: берешь в руки исписанный лист, пытаешься вглядеться в криво бегущую строку, перед глазами прыгают отдельные буквы, слоги… а смысл фразы ускользает.

Едешь в автобусе, и вдруг на повороте обрадованный глаз выхватывает вывеску: КАФЕ. И снова — в названиях ресторанов, магазинов, отелей — две-три русские буквы перемежаются фигурками шрифта пляшущих человечков из знаменитого рассказа о Шерлоке Холмсе.

А какие имена у всей здешней топографии: у водопадов, побережий, пляжей, монастырей, портов и таверн… у людей, наконец! Не говоря уж о древних богах, с которыми все здесь запанибрата, ибо те обитали не на небе, а по соседству и возникали там и сям не то чтобы по первому зову царей и героев, но частенько — достаточно часто, чтобы достойному древнегреческому писателю помочь сварганить приличный литературный сюжет.

Нашего водителя зовут Васи́лис, и глаза у него синие, как у василиска. Он все время улыбается плотно сжатыми губами с таким видом, будто знает о нас нечто пикантное. Вообще к нам — ко мне и моей подруге — он относится, кажется, с легкой иронией.

Его прислали, чтобы он не только рулил, но и разговаривал. Заказывая в отеле экскурсию, моя деятельная подруга сообщила портье, что с ней писательница, *известная русская писательница*, которая приехала на Крит за впечатлениями, и поэтому…

— Ладно, — сказали на том конце провода. — Мы пришлем водителя, который *что-нибудь скажет*.

И Василис говорит — на твердом и раздельном английском, в особо патетические, вернее, патриотические моменты («Смотрите, сколько вокруг олив! миллионы!!! наше масло — лучшее в мире!») переходя на мягко-шелестящий, проворный греческий, в котором у каждого слова на конце либо восхитительный лисий хвост, либо залихватское притоптывание. Спустя минут двадцать такого разговора мне начинает казаться, что греческий я понимаю лучше, чем английский.

Ни за какими впечатлениями я сюда не ехала. Все просто: подруга Регина пригласила меня в трехдневную поездку на Крит, организованную профсоюзом банка, где она работает. Стоило все увеселение — хвала профсоюзу — сущие копейки: так что это был случай явно из тех, о каких моя бабка всегда говорила: «Жалко было не купить». Собственно, поехала я на Крит, чтобы расслабиться и хотя б на три дня отвлечься от работы над книгой, отдалиться от нее, отвернуться — так художники отворачивают лицом к стене незаконченный холст. И никаких впечатлений, пожалуйста. Одна лишь нирвана у синего моря, под музыку… сиртаки? или как это здесь называется?

Наш отель, новый и очень модный, спроектированный «в духе древних дворцов Эллады» (все, что я ненавижу в современной архитектуре: минимализм, стекло, металл, острые углы, неудобство во всем, и все принесено в жертву великому замыслу и стилю — причем скоплению этих бараков выдано пять звездочек), наш супердорогой и очень модный отель находился в приморском городке или, скорее, деревушке под названием Колимпари.

Приехали под вечер, а на рассвете я вышла на балкон и — видимо, наш балкон выходил на оборотную сторону счастья — под утренним, еще бесцветным небом увидела скудный пейзаж Самарии: каменистые холмы, редкие эвкалипты и сосенки на них вперемешку с какими-то колючими кустами. С одного склона горы на другой, тихо позвякивая колокольцами, перетекало стадо мохнатых местных козочек «кри-кри».

И никакого моря в обозрении, лишь молодые чахлые пальмы выстроились вдоль дорожек, дураки дураками, на задворках молодого отеля…

«Приехали», — подумала я, и крикнула в комнату:

— А погулять где-нибудь здесь найдется?

Подруга бывала на Крите, довольно много по нему поездила. Но упоминать о Лабиринте и прочих великих древностях не стала, зная мою неспособность восхищаться камнями (пусть даже и легендарными) и мою манеру подтрунивать над туристами, припадающими ко всем святыням, рекомендованным путеводителями.

Тут уместно добавить, что Судьба, со свойственной ей иронией, меня наказала достойно: моя собственная дочь стала археологом и уже не раз тщетно пыталась пристрастить меня к каким-то бывшим склепам и пустым саркофагам. Недавно демонстрировала снимки обнаруженной гробницы царя Ирода. «Посмотри, — говорила она, склоняясь над моим плечом и кивая на бликующий экранчик смартфона. — Ты только глянь на эту красоту!» Я же видела одни лишь камни, беспорядочно нагроможденные.

«У тебя нет ни капли воображения», — огорченно вздохнула дочь.

И это правда. Я способна понять красоту собора, уют какой-нибудь средневековой аптеки с ее старинными склянками, медными ступками и перегонными аппаратами; готова бесконечно искать свой улов в авоське венецианских *кампо* и *калле*, но не в состоянии мысленно достроить стены над мертвыми камнями, возвести в воображении арки, вставить витражи в свинцовые переплеты окон, воздвигнуть купола и шпили…

Подруга появилась на балконе с мокрыми после душа волосами, в банном халате — как обычно, бодрая с утра. Достала сигарету из пачки, закурила…

— Знаю-знаю, — сказала, оттоняя дым ладонью. — Тебе нужно «вещество жизни», да? Таверны, море, вино, лавки со всякой пыльной дрянью, живописные идиоты, уличные драки…

— Можно покататься на кораблике, — примирительно заметила я. — Только, за-ради всех греческих богов, никаких минотавров! Лучше просто нанять водителя и колесить по дорогам и деревенькам. — И кивнула на тихо звенящее стадо «кри-кри»: — Здесь должно быть отличное вино, потрясающее мясо и отменный козий сыр.

Так возник синеглазый василиск Василис.

* * *

Он заехал за нами ранним утром: в июне на Крите надо ловить утреннюю прохладу, подставляя лицо гулящему ветерку, погружая благодарный взгляд в сине-зеленые тени платанов.

Одет был наш полугид в легкий светлый костюм, довольно элегантный, и хоть галстук, видимо, не входил в его гардероб, воротник расстегнутой у горла белой рубашки был отглажен и весьма красиво оттенял загорелую шею и лицо с грозным носом, но полноватыми, добродушными щеками. Небольшая лысина тоже была отполирована природным золотистым загаром.

Он был безупречен: представился, вежливо осведомился, куда бы дамам хотелось ехать, — в сторону Ливийского моря, например? знаменитый монастырь, горные деревушки, великолепный пляж? Кастели? Фаласарна? Хрисоскалитисса? Полириния? Платанос?

— О'кей, — любезно отозвалась моя подруга, а по-русски вполголоса добавила: — Хрен с ним, пусть везет, куда знает. Главное, чтобы вывез к пляжу… забыла название, что-то зубодробительное, но дивное море и странный розовый песок — я была там, в восемьдесят пятом году.

…Минут тридцать летели по прибрежному шоссе, пролистывая синие окна и двери домов приморских деревень. Мелькали таверны, пансионы, сдобные византийские церкви, похожие на пасхальные куличи. Некоторые меньше моей кухни. У меня вообще-то большая кухня, но подобное пришедшее на ум сравнение все же слегка обескураживало.

Апогей этого умиленного церковного уюта я видела по дороге из аэропорта: на хвосте выступающей в море косы, длинной и узкой, как лезвие критского кинжала, — словно лягушонок вскочил на травинку, — сидела церковка размером с исповедальню, едва ли не в человеческий рост — и была как гриб-боровик, выросший сам-три, с тремя голубыми шляпками.

А когда свернули на проселочную дорогу, уходящую вверх, в горы, нам все чаще стали попадаться совсем уж миниатюрные — высотой с напольные часы или даже меньше — часовни на обочинах. Они похожи на тщательно сработанные макеты церквей — с нефами, барабанами, куполами

Лазурный день. *2008*

и окнами. Внутри крошечной залы за стеклянной дверцей помещена толстая свеча или масляный светильник. На мой вопрос, к чему эти милые, но неуместные на такой крутой дороге развлекалки, Василис меланхолично ответил, что это придорожные капеллы в память о погибших в авариях. Их ставят осиротевшие семьи... либо сами жертвы, добавил он, в память о спасении.

— Смотря в каком виде жертва выползла из госпиталя, — хмуро заметила на это Регина. Заядлая курильщица, она уже мечтала о привале: «полюбоваться пейзажем».

Судя по тому, что подобные мини-капеллы мелькали на дороге каждые два-три километра, можно было судить о набожности местного населения, равно как и о манере водить, да о качестве дорог тоже.

А наша похожая на тропу дорога вязала узлы и петли, взлетала вертикально, падала вниз, вокруг все теснее сдвигались горы, втягивая макаронину тропы в глубину ущелья; извилисто сияло небо меж вершинами гор, сгущаясь в ярчайшую синеву, исчирканную хищным полетом каких-то крупных птиц...

— Тополия, — проговорил Василис, останавливаясь и притирая машину к отвесному боку скалы. — Кофе, туалет, сувениры...

Дома старинной деревушки с прелестным именем Тополия похожи на все средиземноморские небогатые строения: прямоугольные, приземистые, с опоясывающими весь дом деревянными балконами. Они лепятся по склонам ущелья на первый взгляд как попало, без малейшего намека на разумный порядок улиц. Вблизи оказывается, что улицы все же есть, но вьются-завиваются по горам, как заливистые мелодии местных песен, как тесное небо между вершин, как длинные лисьи хвосты в греческих именах и названиях.

Над кольцами опасной горной дороги висит кафе «Романца», к которому подняться можно по выбитым в скале узким беленым ступеням без поручней. Подниматься лучше всего боком, спиной к скале. И в самом кафе, слепленном, как корзинка, из трех — лесенкой — маленьких террас (на каждой по пять столиков), тоже ловчее всего двигаться боком.

Мы присели за стол на второй террасе и заказали кофе. Моя подруга достала сигарету из пачки, щелкнула зажигалкой и с наслаждением затянулась, а Василис деликатно отчалил к группе мужчин за соседним столом, где немедленно включился в громкий разговор. Судя по всему, ему были знакомы все здешние посетители — водители автобусов, гиды, какие-то местные старики… Один сидел поодаль, поигрывая четками: наматывал нитку на палец, перебирал бусины, сбрасывал их по нитке две-три за раз, опять покручивал… никакой святости, просто занятие для рук.

Подруга проследила за моим взглядом и сказала:

— Комболай!

— Что?

— Четки у них называются — «комбола́й». Вот надо же, вспомнила… Обрати внимание, у многих местных — голубые глаза. Это венецианцы погуляли. Триста лет — не копеечка. Что интересно: пребывание здесь венецианцев во всех путеводителях называется «господством», а вот владычество турок — «игом». И то сказать, венецианцы строили здесь церкви и порты, а турки — мечети и бани. Ну, и лютовали — будь здоров! Половину населения вырезали.

За прилавком киоска стоял сам хозяин кафе, Манолис, — я опознала его по фотографии на придорожном щите. Он и одет был, как на той фотографии, — в черной традиционной рубахе, черных брюках, заправленных в высокие критские сапоги, на голове сари́ки — черный платок с бахромой, спадающей на лоб, — странный такой головной убор, будто оторванный от скатерти лоскут на голову повязан.

Высокая крупная девушка, возможно, дочка Манолиса, принесла нам кофе на маленьком подносе, двигаясь экономно, как стюардесса в самолете. И, как у стюардесс компании греческих авиалиний, у нее были (книжный образ аллегорической Эллады!) крутой подбородок, прямая сильная шея и прямые плечи.

Солнце выплеснуло на ржаво-зеленую вершину высокой горы озерцо золотого огня, и утренний сумрак ущелья вспыхнул, зарумянился и застрекотал разом. От чашек поднимался густой кофейный аромат, в него вплетались запахи горных трав; не сходя со стула, можно было протянуть руку и коснуться скалы, поросшей острой травой и крошечными синими и желтыми цветами. Тенистая излучина в скале, в которой странным древесным наростом прилепилось это ступенчатое кафе, являла сгусток суеты среди суровой и отрешенной крутизны гор.

Внизу на дороге непрерывно гомонила и двигалась своя жизнь: останавливались машины и автобусы; из них вываливались туристы, карабкались по ступеням вверх, первым делом бросаясь к кабинке туалета, подвешенной к скале, как люлька; затем выстаивали очередь к киоску за кофе и мороженым и, наконец, затоваривались сувенирами… Через эти три террасы проходили за день сотни туристов. Сколько литров кофе варил в своем закутке Манолис с рассвета до закрытия? Да и закрывалось ли это кафе вообще?

Монотонно и негромко в динамиках притоптывала ритмичная народная музыка, но не могла заглушить остервенелый ор цикад.

Цикады здесь гремят, как водопад. В этом звуке есть даже нечто металлическое, будто в гло́тке у каждой сидит заводная машинка и что-то выпиливает, а наружу сыплется стальная стружка. Где ни присядешь на минуту — на скамье у остановки автобуса, за столик на террасе таверны, на лужайке возле бассейна, — немедленно раздается галдеж цикад, которые орут, как гуси на ферме.

С верхней террасы спустился Василис с биноклем.

— Что-то интересное смотреть, — сказал он, увлек меня к висящим над пропастью шатким деревянным перилам и сунул в руки бинокль. — Вон там, вверху. Пещеры. Да?

— Да, — согласилась я, вглядываясь в кучерявые гребни горы, еще ничего не замечая, и в следующий же миг — ага! — в ослепительном сегменте солнца заметив два черных отверстия в одной из вершин.

— Смотреть в бинокль, там орлы!

Я послушно приложила к глазам тяжелый бинокль и стала наводить окуляры. Неожиданно близко и ясно возникли передо мной сухие кусты у входа в кромешную темень, и вдруг — огромный, с костистым клювом, с головой римлянина орел снялся с камня и взлетел в небо, полоснув синеву могучим крылом…

В тот же миг я — как в юности — ощутила под ребрами взмыв жаркого счастья и удивилась, что это еще случается со мною.

Отдых танцовщицы. *2009*

— Ну, что там за пещера? — спросила моя подруга. — Это в которой Зевса прятали?

— Нет, — важно ответил Василис. — Та — Диктеон. Не здесь. Ехать другой маршрут. Сейчас покупаем сувениры и ехать дальше в знаменитый монастырь.

Видимо, как и все гиды повсюду в мире, он получал у Манолиса какой-то свой приварок от купленных туристами безделушек.

Проворно снял с полки критский нож, вытащил его из ножен и показал надпись на лезвии:

— Вот, здесь поуэтри. Песня. Написано вот что: «Я критский нож, оружье чести и правды. Но я и память о вечной дружбе».

— «Могу вам в рифму выпустить кишки…», проборматала по-русски Регина. — Ты знаешь, что на Крите до сих пор процветают традиции вендетты?.. Нет, Василис, — сказала она, — сувениры будем покупать не в этой забегаловке.

Я все же купила тощий путеводитель по Криту на русском языке (издательство называлось просто: «Братья Марматаки») и долго стояла перед крутящейся этажеркой с открытками, но так и не смогла выбрать ни одной: все они казались пересиненными, перелазуренными — прошедшими огонь и воду программы «Фотошоп»…

Но когда, выюлив из ущелья, мы двинулись в сторону монастыря с хрустальным, как прозрачный ручей, именем Хрисоскалити́сса, и, покуролесив по горам, дорога сделала крутой разворот и вдруг вынырнула, взмыла вверх, расталкивая пространство в обе стороны, внизу ахнула такая пересиненная синева моря с такой перебеленной, перекрахмаленной пеной на закорках барашковых волн, что вздох застрял в горле.

Вот это был «Фотошоп»! Это был грандиозный «Фотошоп» обезумевшей в первозданной радости природы.

Василис притормозил, чтобы мы полюбовались и дух перевели: на лобастом выступе скалы, белоснежный, с синими дверьми и ставнями, в точности такой, как на открытках в кафе Манолиса, над морем повис монастырь.

Выдержав эффектную паузу, Василис принялся с явной иронией пересказывать миф о золотых ступеньках этого монастыря, узреть которые способен лишь человек с чистыми помыслами. «Я не видел ни разу, — добавил он, лукаво улыбаясь, — никакого золота на ступенях…»

В сущности, на монастырь хотелось смотреть издалека — бело-синий, напластованный веками, со всеми кельями и пристройками, окруженный маленькими, как свечки, кипарисами, он был совершенен в своем эклектичном несовершенстве.

Но наш гид настоял, чтобы мы посетили святую обитель. И напрасно: как только мы вошли в уютный, крытый виноградной лозою дворик и стали подниматься по выбеленным каменным ступеням (на краю каждой пенились розовой и красной геранью разномастные глиняные горшки), мы услышали какой-то механический рев, оскорбительный для слуха в сей блаженной обители.

Ярко-синие двери в церковный зал были приоткрыты, и там, в полутьме, щуплый, как подросток, монашек деятельно пылесосил красно-синий ковер с критским орнаментом…

* * *

От монастыря взяли курс на пляж Элафониси, тот самый, о котором вспоминала Регина; минут пять они с Василисом перебирали названия, наконец она воскликнула:

— Да-да, он самый! — и Василис закивал, развернулся, и мы стали спускаться с высоты к неохватному простору синевы всех градаций: от лазури и изумруда до фиолетовых и чуть ли не черных разводов в местах глубоких впадин. Навстречу выгнулась широкая полоса песка, действительно розового (Василис сказал, что в составе его — размельченные кораллы), и поодаль всплыла желто-зеленая клякса островка, до которого можно добрести по прозрачному мелководью.

Дорога, и прежде заковыристая, превратилась в пыточную колею: нас подбрасывало и швыряло то друг на друга, то на спинки передних сидений. По днищу автомобиля скрежетали крупные камни.

Заповедник, объяснил Василис, по-прежнему невозмутимый и благорасположенный ко всему окрест; Элафониси — заповедник, потому и дорога более чем скромная.

— Более чем скверная, — поправила Регина. — А что, в заповеднике туристу положено перевернуться и покалечиться?

— Да нет, — так же ровно и приветливо отозвался наш гид. — Просто много машин, много людей, природа — плохо… Лучше меньше машин, больше природа, чистый пляж…

— Резонно, — хмуро отозвалась моя подруга.

Ни одного отеля, ни мало-мальски скромной гостиницы, ни даже пансиона не встретилось нам на этой дороге. Впрочем, на окнах двух-трех домов ближайшей к заповеднику и, пожалуй, единственной деревни висели картонки с рукописным обещанием «Rooms». Повсюду летали тучи крупных бронзовых мух.

На берегу, среди молодой кедровой поросли приткнулись две торговые точки. Одна — «шоп», или, как Василис произносит, «соп», — вагон, набитый пластиковыми тапками, майками, брелками, дешевыми купальниками и полотенцами с неестественно изогнутыми розовыми купальщицами — такие полотенца плескались под ветром по дороге на Иваново году в девяносто восьмом.

Другая хижина воздвигнута у самого берега: деревянный настил под тростниковым навесом, на нем несколько грубо сколоченных столов со скамейками и дощатый киоск, торгующий всякой съедобной и не очень съедобной всячиной от гамбургеров до мороженого.

Мы въехали на стоянку — просто песчаную площадь, поросшую острой травой и кустарником. Здесь уже стояло несколько машин и два-три «минивэна». Регина принялась копошиться в сумке в поисках купальника, объявив, что жаждет немедленно погрузиться в адриатическую волну. Я же, как многие замученные солнцем южане, всегда стараюсь укрыться в тени. Пока мы с ней договаривались, где и как встретиться, Василис опять куда-то исчез, растворился в худосочной кедровой роще, пообещав, что вернется за нами через полтора часа. Может, у него и в этой деревушке жил кто-то из родственников или друзей?

Я нахлобучила шляпу и побрела под навес.

И тут роились летучие стада нарядных бронзовых мух, жужжа в унисон с шелестом тростниковых хвостов, свисающих с крыши.

Зато полоса розового песка и совершенно океанская, а не морская ширь искристо вспыхивала и не отпускала, властно нежила взгляд. Такой ласковой и глубокой синевы мне еще видеть не приходилось: тяжелое колыхание шелка, огненный кобальт на гребнях ленивых волн…

Отель на побережье. *2010*

Глаз не хватало отметить все оттенки интенсивной лазури с мозаичными вкраплениями малахита, изумруда, темного и светлого сапфира…

Вдоль широкого раскатистого прибоя бегал явно бездомный черный пес; низко опустив лохматую голову, разыскивал что-то в песке. Временами он застывал над крабьей норкой, с размаху резко бил лапой добычу и затем ловко расправлялся с ней, высасывая вкусную плоть.

Я купила кофе в картонном стакане, села за стол, достала из сумки записную книжку и карандаш и стала писать, время от времени поднимая голову и сквозь оранжевую тень от шляпы вглядываясь в ярчайшую, до рези в глазах, синеву горизонта: пыталась подобрать слова, которыми надо все это рассказать.

Как обычно, первыми подворачивались слова случайные, мутноватые, как осколки старого стекла, что выносят на берег волны. Точнее, как старая картина, что лет пятьдесят валялась где-то на чердаке у дальних родственников умершего художника. Но я знала: стоит смыть с холста нарост давней пыли, как проявятся более свежие краски. То же и на бумаге: снимая с неуклюжей, в застиранных лохмотьях фразы слой за слоем, дойдешь до такой прозрачности смысла, что имена предметов и существ станут почти невидимы, а сквозь них воссияет море, жужжание бронзовых мух, черная собака, бегущая по кромке прибоя…

И я вычеркивала, писала поверх слов, опять вычеркивала, злясь на свое бессилие.

Кроме меня на площадке сидела за одним из столов русская семья: женщина с двумя мальчиками, лет семи и пяти. Интеллигентная мама с воспитанными детьми — я даже готова была поклясться, что они из Питера: тамошних я узнаю по голосам, по аккуратным паузам между фразами, по внятной артикуляции. Эти переговаривались негромко и чинно, а мама дважды посылала старшего мальчика к киоску, просить «у дяди» салфетки. И тот вежливо просил — по-английски.

— Ну что, отдохнули-подкрепились? — раздался за моей спиной мужской, бодрый и *мобилизующий* голос, какими говорят профессиональные экскурсоводы. — Давайте закругляться, милые, у нас еще в программе Ханья…

Я обернулась. Пожилой сухопарый мужчина выглядел именно профессиональным экскурсоводом: всем своим видом и даже выражением лица устремлен *к следующему пункту нашей программы*. Всюду русская жизнь, подумала я с удовлетворением.

— Саша, ты слышал? — сказала женщина младшему мальчику. — Доедай свой гамбургер, дядя Володя ждать не будет.

— Мам, я больше не хочу, — сказал мальчик, — можно собачке отдать?

— Какой собачке? — спросил мужчина и обернулся в сторону пляжа. И хмыкнул: — Да это же Маврос. Он не станет мясо есть.

— Почему? — удивилась женщина.

— А это, знаете, потрясающая история… — отозвался тот. — Мы спешим, но все же расскажу, и мальчикам полезно послушать… Этот пес раньше не был бездомным. Он жил у одного зажиточного крестьянина, тут недалеко, в Элосе. Крестьяне в Греции держат отары овец, так уж веками заведено. И вот однажды на Пасху — а в Греции Пасха самый большой праздник, чуть ли не каждая греческая семья в этот день жарит на вертеле целого барана — хозяин Мавроса принялся за свой главный бизнес: резал овец на заднем дворе. Резал одну за другой, одну за другой — время-то горячее, считайте, заработок на целый год. Маврос, увидев всю эту ужасную резню, решил, вероятно, что и его ждет та же участь, и в панике бежал из дома…

— Надо же, — покачала головой женщина. — Бедный, испугался всей этой казни, да? крови, освежевания туш… Я сама в мясных рядах всегда отворачиваюсь от свиных и бараньих голов. Они так жутко смотрят!

— Видите ли… — Мужчина умолк на полуслове и вдруг протянул руку и легко взъерошил светлые, по-девчачьи пушистые волосы младшего мальчика. — Можете смеяться надо мной, но я думаю, тут не только страх был. Это было мировоззренческое неприятие убийства…

Женщина прыснула, проговорила:

— Вы шутите! Мировоззрение? У собаки?

— Да, да! — горячо и строго возразил тот. И заторопился, заговорил быстрее: — То есть, я хочу сказать, что… понимаете, пес больше никогда даже близко не подходил к своему хозяину. Никогда! Тот искал его, пробовал вернуть, упрашивал, пытался задобрить… Но Маврос рычал и убегал — видимо, испытывая к убийце отвращение. Да, именно: отвращение! Главное, ведь… он стал вегетарианцем. Можете спросить хозяина киоска, он пса подкармливает. Тот с удовольствием ест овощи, даже картошку, а охотится весь день только на крабов…

Вернулась моя подруга, свежая и довольная, с мокрыми волосами и покрасневшим глянцевым лицом, купила в киоске мороженое и плюхнулась на скамью рядом со мной.

— Вода божественная! Балда ты, много потеряла.

— Ничего, искупаюсь у нас, то же море… Слушай, как можно перевести имя Маврос?

— Черныш, наверное. «Мавр» — это ведь «черный». А что?

— Ничего…

Я тоже купила мороженое, мы заболтались, я и не заметила, как русская семья с гидом уехала дальше по маршруту, в Ханью…

— Кстати, где наш Василис? — спросила Регина, оглядываясь по сторонам. — Интересно, куда это он исчезает? Тут же абсолютно некуда деться.

И как джинн из восточной сказки, что является по первому зову хозяина, Василис возник из-за рощицы молодых кедров. Шел он, впрочем, неторопливо, поигрывая прутиком. Но когда нашел нас взглядом, весь подобрался и выразительно выгнул кисть руки, указывая на циферблат часов. Так что минуты через три мы уже сидели в машине.

Перед тем как захлопнуть дверцу, я оглянулась.

На картонной тарелке остался лежать недоеденный гамбургер.

Черный пес, опустив лохматую голову, все бежал по мокрой полосе песка в ореоле солнечных бликов…

* * *

Судя по изрядной примятости правой щеки, Василис недурно где-то отдохнул, может, даже и соснул часок — во всяком случае, он стал много разговорчивей. Машина, взревывая, взбиралась по той же крученой дорожке, а Василис, отрывая руки от руля и широко поводя обеими, говорил:

— Видали, сколько олив? Посмотрите — это все оливы, тут полно олив! Наше масло…

Перед собором. *2009*

Внушить ему, что мы сами приехали не из Ненецкого автономного округа, а из страны, где олива — самое привычное дерево, было невозможно. Он почти явно усмехался. Да и в самом деле — что могло сравниться с греческими оливами и греческим маслом?

Вдруг он остановил машину, открыл дверцу, спрыгнул вниз и куда-то убежал.

— Ну что еще? — спросила Регина. — Куда он делся, этот тип? Побежал отлить?

Тип скоро вернулся с сухим сиреневым соцветием в руке.

— Понюхай, — предложил мне, сунув кустик под нос.— Знаешь, что это?

— Лаванда? — неуверенно предположила я. Нет, запах был иной, не лаванды.

— Это фимиан! — гордо провозгласил Василис. — Фи-ми-ан!

— Фи-ми-ам, — подхватила я. — Его… используют в церковных обрядах, да?

(Я не знала, как сказать по-английски «курить фимиам».)

— А? Да-да, фимиан… У нас пчелы собирать мед с этих цветочков, и который мед — с фимиана — Кипр экспортирует, потому что нигде такой мед больше нет, нигде. Только у нас!

— В Греции все есть, — по-русски сказала Регина.

И далее мы останавливались еще несколько раз, Василис спрыгивал, исчезал куда-то и возвращался с какими-то веточками, листиками, цветочками, давая нам понюхать и не отвечая на вопрос, когда же мы, черт возьми, вернемся в отель.

— Зачем — в отель? — наконец спросил он. — Рано еще. Можно в Ханью. Старый порт, венецианцы строили. Маяк. Очень красиво.

Видимо, он беспокоился, что, сократив программу, эти странные, нелюбопытные к достопримечательностям тетки сократят и гонорар за экскурсию.

— В отель — обедать! — скомандовала Регина.

— Может, пообедаем в Ханье, в порту? — спросила я.

Василис оживился, возмутился и заявил, что в отеле на пятьсот номеров не может быть хорошей кухни, что в порту полно туристов и слишком дорого, обдерут как липку, мыслимое ли дело… А обедать нужно здесь, недалеко, в одной деревне, в знакомом ему месте. Там готовят настоящую греческую еду, и так готовят, что мы никогда не забудем этого обеда. Умирать будем — вспомним обед у Доменикоса.

— О'кей, вези к Доменикосу, — сдалась Регина. — Но отвечаешь головой!

И пока за окном мелькали синие двери и синие окна белых деревенских домов, иногда чуть ли не полностью охваченных лиловой накипью бугенвиллий, моя подруга в предвкушении обеда с воодушевлением стала вспоминать о каком-то городке недалеко от Афин, который весь состоит из мясных ресторанов и таверн. Едешь по нему, а тебя справа и слева зазывают, чуть ли не за руки хватают колоритные греки в национальных костюмах…

— Есть такое традиционное блюдо, «кукареци», к курице не имеет никакого отношения, — говорила она. — Его на закуску подают. Бараньи потроха, завернутые в кишки. Василис, любишь «кукареци»?

Тот что-то простонал в ответ причмокивающими губами.

— Ага, многие иностранцы брезгуют его есть, и напрасно: вкус умопомрачительный, мое любимое блюдо. Просто надо знать места, где его хорошо готовят… И, главное, в этих бараньих обжорных рядах в конце трапезы всегда подают густой йогурт с медом. Считается, что он помогает утомленному жратвой организму справиться с нагрузкой…

Я подключилась к обжорной теме, сообщив, что читала про одно греческое блюдо под названием «клевтико». И с большой охотой попробовала бы…

Тут они уже оба взвыли и наперебой, по-русски и по-английски стали мне втолковывать, что «клевтико» нужно заказывать заранее, за сутки, потому что готовят его очень долго, зарыв в землю часов на двенадцать.

— В землю?! Очень вкусно…

— Ну да, как русскую кашу томят в подушках.

— Понимаешь, — сказала Регина, — мне греки объясняли: «клевтико» означает «украденное». Это еще с тех времен, когда батраки воровали мясо у хозяев и, чтобы все было шито-крыто, готовили его таким вот способом… Знаешь, где потрясающе готовят «клевтико»? На Пелопоннесе…

Наконец, взвинченные плотоядной темой и ощутимо голодные, мы въехали в горную деревушку. Оставили машину на асфальтированном пятачке перед зданием почты и пошли вверх по улице, туда, где, поднятая на сваях, над крутым поворотом выступала деревянная терраса, и на ней, облокотившись на перила и явно кого-то высматривая, стоял худощавый человек в черной рубахе и черных брюках, заправленных в критские сапоги. Я вспомнила, что Василис звонил кому-то с дороги, отрывисто бросая по-гречески фразы под наши гастрономические вздохи, и поняла, что нас встречает сам хозяин. На вывеске над его головой (я уже привычно переступала через *бракованные* буквы) было написано: «Таверна Филоксения». А глаза-то, глаза у этого Доменикоса были такими же синими, как у нашего василиска. Мы поднялись на длинную, затейливой формы террасу, которая округло обнимала дом и будто с разбегу заворачивала за выступ скалы, к которой дом был припаян. В центре ее, сквозь деревянный настил пола, возносился неохватный зеленоватый ствол платана.

Вся терраса была клетчатой от красно-белых скатертей на столах и полна движением и игрой световых рефлексов — оранжевых, фиолетовых, зеленых… Это жила и дышала под ветром многослойная, мощная, почти непроницаемая крона векового платана, и если уж солнечному лучу удавалось где-то пробить себе щелку, он вспыхивал так яростно, что казалось, еще мгновение — и на скатерти, на деревянном полу, на спинке стула останется выжженный узор.

Хозяин подвел нас к столику у самых перил. За ними чуть ли не вертикально в гору поднималась альпинистская тропа, вдоль которой, бренча тремя прозрачными струнами, бежал по каменному ложу тощий, но стремительный ручей.

Хозяин перекинулся с Василисом несколькими словами, после чего махнул рукой, заманивая нас куда-то внутрь дома:

— Пойдем, выберете себе еду…

Мы прошли помещением таверны — большой, домашней на вид комнатой с резным буфетом, старыми черно-белыми фотографиями на стенах, с четырьмя столами, покрытыми теми же веселыми скатертями, — и попали в кухню, тоже на удивление большую и домашнюю.

Тут в высокой печи томились на противнях бараньи ребрышки, крупные ломти нарезанного мяса, жареная рыба — кусками и целиком… Я растерялась. Впервые в жизни мне предлагали выбрать еду не по книжке меню, а вживую, воочию, вожделея голодными глазами, вдыхая букет головокружительных запахов: пряностей, жареного мяса, томленого горячего жира…

— Только не шалей, — предупредила меня подруга. — У них здесь порции для Гаргантюа. Наш девиз: сдержанность и умеренность… Та-а-ак… с чего ж начнем?

Обвела глазами противни, обернулась ко мне и подмигнула:

— Дурак Маврос, а?

Возвращаясь на террасу, я задержалась перед фотографиями.

На них на всех, хмуря брови и рукой касаясь закрученного уса, в разных позах сидели и стояли вокруг стола гордые чернобровые, ястребиноликие мужчины в критских сапогах. Один был снят с лирой на колене: придерживая ее левой рукой и чуть повернув к невидимому зрителю, в правой он неумело сжимал смычок. Но это была, пожалуй, единственная фотография с мирным мотивом. На остальных явно преобладала военная тема, нечто партизанское: двое мужчин и девушка, у всех троих на груди бинокли, и все с ружьями; стоят, уперев приклады в землю. Мужчины опоясаны патронташами, критские кинжалы заткнуты за пояса.

Я вспомнила, как утром смотрела на орлов, зависших над курчавой вершиной горы…

Зеленоватый ствол гигантского платана возносил свою крону высоко над таверной; я прикоснулась ладонью к его шкуре с островками отшелушенной белесой кожицы и ощутила ровное живое тепло, как от большого спящего животного, бегемота или слона. Надо бы спросить у Доменикоса, подумала, — сколько же лет это дерево дает тень этому дому?

Принесли стеклянный графин с бурым вином, крупно нарезанный хлеб в плетеной корзинке и несколько керамических плошек с вкуснейшими закусками и соусами — дома мы их называем «затравками».

— Вот так делаем, — показал мне Василис, окуная хлеб в оливковое масло, протертое с помидором и травами, и отправляя в рот пропитанный, как губка, истекающий золотым соком ломоть.

И под одобрительные кивки моей подруги стал называть блюда, указывая пальцем на плошки:

— Задзики... мелидзана салата... хорта... мусака...

— Вот эту их мусаку попробуй обязательно, — наставительно сказала Регина, выкладывая на тарелку горстки закусок. — Очень забойная вещь! Они слоями выстилают баклажаны, фарш с луком и помидорами и тертый сыр...

Подошел Доменикос, осведомился, все ли хорошо, всем ли довольны дамы. Мы принялись закатывать глаза, качать головами и набитыми ртами издавать невразумительные звуки. Он кивнул с вежливым достоинством. После чего перешел с Василисом на греческий, и по оживленному тону разговора я поняла, что Василис довольно частый здесь гость, возможно, и друг семьи...(Впоследствии так и оказалось, судя по тому, что Доменикос не захотел брать с нас за Василиса плату.)

— В смысле жратвы они, конечно, язычники, — с явным одобрением говорила Регина, деловито оглядывая стол. — Ой, сейчас наша задача — не переборщить с закусками. Вовремя тормознуть!

Но как тут было тормознуть, когда, спокойно и мощно работая челюстями, Василис смачно и заразительно налегал на еду, заставляя нас пробовать то одно, то другое, и названия блюд звучали в его устах, как строки из «Илиады»... Он брал двумя пальцами жареный колобок картошки и, прежде чем отправить его в рот, любовно произносил:

— Пататес... Пататулес...

И всё называл ласково-уменьшительно: огурцы именовал не «огурья», а «огураки», кальмаров — не «каламари» а «каламараки», жареную вкуснейшую рыбешку мариду — «маридаки»...

А ведь он прав, Василис, думала я, окуная ломоть деревенского хлеба в плошку с золотым, чуть кисловатым соусом, — масло у них особенное...

Улыбающаяся хозяйка понесла из кухни одну за другой... нет, не тарелки это были, а миски, полные до краев. Мы с подругой взвыли: даже предполагая размеры местных порций, не могли вообразить ничего подобного, хотя и у нас в Израиле тарелки не похожи на блюдца и тоже всегда полны... Но тут явилось нечто циклопическое.

Утро. *2010*

— Го-осподи, — простонала Регина. — Какого черта мы заказали еще и греческий салат?!

А греческий салат оказался особенно щедрым; поверх кургана резаных овощей покоился толстенный ломоть феты, величиной и формой похожий на мужскую ладонь.

Наконец стол был увенчан большим блюдом с жареными бараньими ребрышками. Василис провозгласил: «Поедаки»! Я рассмеялась, а Регина заметила, что именно так они и называются, эти самые ребрышки, «поедаки», и поедаются так, что за ушами трещит…

Бурое домашнее вино в кувшине, вроде бы легкое поначалу, терпко цепляло язык (чуть более терпко, чем привыкла я за субботним столом у нас дома) и отлично оттеняло вкус жареного мяса. Жилистый ручей настырно бренчал по каменному ложу, цикады выпиливали-выжигали невидимые узоры в придорожных кустах…

В какой-то момент я поняла, что эта терраса с платаном-Гаргантюа, пиршественный стол, на который под наши протестующие стоны все несли и ставили какие-то еще миски и тарелки, приветливо-невозмутимый Василис, дающий имена еде, как Всевышний давал имена растениям и животным, — весь этот долгий летний день в синеве и лазури я и стану вспоминать, когда Крит отодвинется в памяти в некое вечное сияние.

Возможно, я даже немного «поплыла», потому что мне хотелось все время повторять эти танцующие названия, и я, уже переполненная едой, зачем-то протягивала руку за еще одним ребрышком, восклицая:

— Поедаки! Огураки! Маридаки! Братья Марматаки!

…Отсюда, сквозь проем открытого, традиционно выкрашенного синей краской окна, была видна часть комнаты: фотографии суровых и стойких людей на стене и старое мудрое зеркало, как в украинском селе, обрамленное вышитым рушником. И мне подумалось, что вокруг здесь по деревням и городкам должно было осесть немало венецианской старины. Как это Регина сказала? «Триста лет — не копеечка»…

Непринужденно расправляясь с курицей руками, Василис рассказывал о своей семье: трое детей, всем нужно дать образование; хорошие школы, как и во всем мире, недешевы… Разговор заплетался, перескакивал с одного на другое. Не слушая наших вопросов, он уже рассказывал о Доменикосе и его семье, которой принадлежит таверна. Всё, буквально всё у них тут свое: козы, овцы, куры, свиньи… Они все делают сами, добавил он, — масло, вино… хлеб вот тоже сами пекут (и правда: соседняя дверь вела в булочную)…

— …и даже соль намывают в море сами.

— Где ж это они ее намывают? — недоуменно спросила Регина.

— А вон там, — и подбородком, перепачканным жиром курицы, указал куда-то в том направлении, откуда мы приехали. — Там, на Элафониси…

* * *

Назад возвращались уже под вечер, хотя солнце все еще не устало, а небо еще вздымалось над островом горячей синей эмалью.

Пролистав в обратном порядке на главном шоссе все отели, лавки и домики, а также куличи византийских церквей, Василис въехал в Колимпари и минуты через две подкатил к нашему отелю. Мы уже заплатили ему за поездку и дали отличные чаевые, так что все трое были в прекрасном настроении и чрезвычайно довольны друг другом. Василис уже притормозил перед широкой лестницей к входу в отель… но вдруг решительно сказал:

— Минутку… еще минутку… что-то покажу… — и покатил дальше; дорога шла по главной улице Колимпари и, повернув в согласии с береговой линией, стала подниматься вверх, в гору.

Вскоре мощной крепостью впереди на холме воздвиглось коричневатое здание духовной академии, а еще выше — округлый купол церкви за белыми монастырскими стенами. Отсюда открывалась все та же блескучая морская чешуя, у берега наскоро сметанная белыми нитками прибоя. Три невесомых перышка далеких яхт застряли на горизонте там, где синева морская сливалась с синевой небесной, перетекая друг в друга, начисто теряя линию слияния.

— Вот, — проговорил Василис, довольный и немного взволнованный. — Это — тоже… — и, видимо, устав за день от выученного бедного английского, выдал вдруг целую фразу по-гречески: роскошную, танцевально-ритмичную, дробно-раскатистую, как весеннее громыхание грозы, и очень сердечную по тону…

271

* * *

Мы успели часок поспать, проснулись перед ужином, а солнце все еще не ушло, все блестели взъерошенные загривки недорослей-пальм перед нашим балконом. Регина отправилась поваляться у бассейна, мне же — удивительно — все было мало света и цвета: «дай мне синего, синего этого…».

Я пошла гулять по Колимпари, купила в затхлой, притененной ставнями сувенирной лавке еще каких-то открыток, отлично понимая, что, увезенные отсюда, они будут казаться неестественно раскрашенными, а моему художнику их будет даже стыдно показать… Вышла из сумеречной прохлады в ослепительный бесконечный день, свернула на улицу, по которой мы недавно ехали с нашим синеглазым водителем, и вдруг вспомнила, как, тормознув против узкой щели меж домами, чья вертикаль была заполнена синевой моря, он сказал:

— Вон там — таверна «У Никифороса». Тоже хорошее место!

Свернула в эту самую щель и вышла прямо к таверне, на берег моря. Ее терраса, сейчас совершенно безлюдная, одним боком была обращена в морскую синь окулярами трех каменных арок, а другим боком сопутствовала отрезку трогательного деревенского променада. Я поднялась по трем ступеням, села за деревянный стол лицом к морю и спросила кофе и воду.

Худой и явно уставший за день паренек-официант принес и поставил передо мной граненый стакан с водой и джезву, полную кофе. И я осталась одна, совсем одна на террасе.

За ее барьером к воде спускались нагроможденные друг на друга ржавые и мшистые валуны; вода лениво колыхалась, елозила по ним солнечной прозрачной сетью, как юбка танцовщицы фламенко, что отошла на минутку покурить и расслабиться. Чем дальше от берега, тем вода становилась темнее, сгущаясь в глубокую лазурь, и, наконец, у горизонта уходила в нестерпимую для беззащитного зрения ослепляющую синь…

С набережной сюда свободно заходили кошки и собаки. Взошла по трем ступеням царственная темно-рыжая псина, легла неподалеку от меня с великолепным достоинством, а у самого стула молча примостилась терпеливая белая кошечка-подросток. К сожалению, мне нечем было их угостить — после недавнего обеда в таверне «Филоксения» я еще не скоро могла даже подумать о еде. Но ни та, ни другая не уходили — возможно, просто решили составить мне компанию.

По деревенской набережной, кое-как замощенной разновеликими плитами в щербинах и выбоинах, проходила публика, едва не задевая руками и бедрами деревянный барьер террасы. Прошла какая-то белокурая англоязычная семья с мальчиком лет двенадцати, с которого ручьями стекала вода. Прошла парочка «наших» женщин, словно из анекдота: одна высокая, с грядкой отважно выкрашенных в алый цвет волос надо лбом, с пунцовым лаком на пальцах несоразмерно больших ног, другая — как нарочно, коротенькая и толстая — в профиль напоминала саквояж, поставленный на две ножки от рояля. До меня донеслось:

— …Ну и что это за брак за такой, говорю, — она старше его на пять лет…

— Если не на все шесть!

И опять я вспомнила стюардесс в самолете греческих авиалиний: их крутые подбородки, высокие шеи, прямые плечи…

Впрочем, стюардессы всех в мире авиалиний тешат национальное самолюбие, являя стати и формы, воспетые в народных эпосах.

На террасе соседнего рыбного ресторана висел на веревке маленький осьминог, слегка покачиваясь на ветру, как выстиранные трусы. Он был распят за три ноги тремя красными прищепками.

Гремели, вопили, орали, отжигали цикады…

Мягко и прощально, глубокой лаской синела передо мной в овальной раме каменной арки морская ширь Эгейского моря; и сквозь это окно в неописуемую синь я видела, как по мокрому песку Элафониси бежит миролюбивый пес, выбравший свободу от людской жестокости.

Рассчитываясь, я вознамерилась дать пареньку полтинник на чай. Порылась в кошельке, выудила оттуда 50 центов, вгляделась в монету. На решке был изображен какой-то местный бородач, а по кругу русскими буквами написано: «ЛЕПТА».

Это было счастье — пронзительное, как вопль цикады.

Вот она, колыбель человека, думала я, — древнее, щедрое, трогательное Средиземноморье. И соль, намываемая в море, и в кувшине — домашнее вино, и мед из фимиама, и ломти свежего хлеба, и удивительный вкус оливкового масла, смешанного с дикими травами.

Вот она, колыбель: смуглые византийские лица критян, их венецианские глаза, вобравшие цвет моря и неба; синие, синие окна их дома…

И *лепта*, наконец; та *лепта*, которую и я внесла — русскими буквами.

Иерусалим, сентябрь 2011

Содержание

Литературно-художественное издание

БОЛЬШАЯ ЛИТЕРАТУРА
Дина Рубина

Рубина Дина Ильинична
ОКНА

Ответственный редактор *Н. Холодова*
Редактор *А. Грызунова*
Художественный редактор *А. Новиков*
Верстка *Н. Ярусова*

ООО «Издательство «Эксмо»
127299, Москва, ул. Клары Цеткин, д. 18/5. Тел. 411-68-86, 956-39-21.
Home page: **www.eksmo.ru**   E-mail: **info@eksmo.ru**

Оптовая торговля книгами «Эксмо»:
ООО «ТД «Эксмо». 142702, Московская обл., Ленинский р-н, г. Видное,
Белокаменное ш., д. 1, многоканальный тел. 411-50-74.
E-mail: **reception@eksmo-sale.ru**

По вопросам приобретения книг «Эксмо» зарубежными оптовыми
покупателями обращаться в отдел зарубежных продаж ТД «Эксмо»
E-mail: *international@eksmo-sale.ru*

International Sales: International wholesale customers should contact
Foreign Sales Department of Trading House «Eksmo» for their orders.
international@eksmo-sale.ru

По вопросам заказа книг корпоративным клиентам, в том числе в специальном
оформлении, обращаться по тел. 411-68-59, доб. 2299, 2205, 2239, 1251.
E-mail: **vipzakaz@eksmo.ru**

Подписано в печать 27.01.2012. Формат 90х70$^1/_{12}$.
Гарнитура «Гарамонд». Печать офсетная. Усл. печ. л. 26,9.
Тираж 60 000 экз. Заказ 1205/12.

Отпечатано в соответствии с предоставленными материалами
в ЗАО "ИПК Парето-Принт", г. Тверь, www.pareto-print.ru

ISBN 978-5-699-55397-6